D1266811

# **URUGUAY** / PANORAMA

**aguaclara** editorial

**NOMBRE:** República Oriental del Uruguay
**SUPERFICIE TERRESTRE:** 176.215 Km$^2$
**MAR TERRITORIAL:** 137.567 Km$^2$
**POBLACIÓN:** 3.308.535
**DENSIDAD:** 19,2 Hab. por Km$^2$
**CAPITAL:** Montevideo
**IDIOMA OFICIAL:** Español
**MONEDA:** Peso Uruguayo
**GENTILICIO:** Uruguayo/a
**DOMINIO INTERNET:** .uy
**PREFIJO TELEFÓNICO:** +598

**NAME:** Oriental Republic of Uruguay
**AREA: LAND:** 176.215 sq km
**TERRITORIAL SEA:** 137.567 sq km
**POPULATION:** 3,308,535
**POPULATION DENSITY:** 19.2 inhab. per sq km
**CAPITAL:** Montevideo
**OFFICIAL LANGUAGE:** Spanish
**CURRENCY:** Uruguayan Peso
**GENTILIC:** Uruguayan
**INTERNET DOMAIN:** .uy
**PHONE CODE:** +598

INDICE /
CONTENTS

# INTRO

La República Oriental del Uruguay, país cuyo nombre designa su ubicación geográfica, ocupa un territorio de 176.215 km$^2$. Está situado al este del río Uruguay que lo separa de la República Argentina. Por el este y el norte, el país linda con Brasil, cuya influencia económica, étnica y cultural se evidencia en las regiones cercanas a la frontera. Por el sur, las aguas del Río de la Plata y del océano Atlántico bañan el territorio uruguayo a lo largo de 650 kilómetros de costas. Son aguas de rica biodiversidad, que forman ensenadas y playas abiertas con amplias fajas de arena y que conforman atractivos puntos turísticos.

El clima templado, donde se diferencian notoriamente las cuatro estaciones, y el territorio formado por vastas praderas fértiles que se extienden en suaves ondulaciones -con algunas ríspidas serranías cada tanto- regado por infinidad de cursos de agua, le han asignado al país su destino ineludible de productor en rubros agropecuarios, para lo cual tiene ventajas comparativas y competitivas extraordinarias.

Uruguay está surcado, en todas direcciones, por una extensa red de carreteras y caminos vecinales que lo hacen transitable en toda su extensión y comunican las diversas localidades entre sí. En las rutas más transitadas el país cuenta con buenas autopistas.

## SOCIEDAD EDUCADA E IGUALITARIA

La población uruguaya, en su inmensa mayoría, desciende de europeos -especialmente mediterráneos- llegados mayoritariamente en forma masiva en la segunda mitad del siglo XIX y la primera del XX. Aún hoy es un país escasamente poblado (aproximadamente 3,3 millones de habitantes) y de baja densidad demográfica (19,2 personas por km$^2$). La mitad de la población está radicada en la capital, Montevideo, y en sus alrededores. La disponibilidad de amplios espacios, incluso en las ciudades, es uno de los rasgos característicos del país. La sociedad uruguaya se distingue entre las latinoamericanas como una de las más igualitarias, con la distribución del ingreso más equilibrada entre los distintos estamentos y sin minorías étnicas segregadas. A diferencia del resto del continente, en nuestro país las poblaciones nativas no sobrevivieron a la construcción de la nación moderna.
El país ocupa el lugar 48 del Índice de Desarrollo Humano (IDH) de la ONU y el tercer puesto entre los países latinoamericanos, después de Argentina y Chile. El índice mide, entre otros factores, la expectativa de vida, los niveles educacionales, el ingreso per cápita y el acceso a servicios básicos, como el agua potable, entre otros. El promedio de esperanza de vida al nacer es de casi 77 años (73 para los hombres y 80 para las mujeres). La alfabetización de la población uruguaya supera el 98% y el acceso a los servicios básicos (agua potable, luz eléctrica, telefonía básica y celular) es cercano al 100%. De todos modos, a pesar de los avances que se han registrado en los últimos años, el país aún debe enfrentar problemas de difícil resolución, tales como los bolsones de pobreza dura y la marginalidad.

## GOBIERNO

El Uruguay se rige por el sistema democrático republicano representativo, con la clásica división en tres poderes independientes. El Poder Ejecutivo está encabezado por el Presidente de la República. El Poder Legislativo es ejercido por la Asamblea General que está conformada por la Cámara de Senadores y la Cámara de Representantes (o Diputados). La Cámara de Senadores está compuesta por 30 integrantes más el Vicepresidente de la República, que la preside. La Cámara de Representantes está integrada por 99 miembros. Tanto el Presidente como el Vicepresidente de la República y la totalidad de los legisladores son electos en comicios universales que se celebran cada cinco años. El Poder Judicial garantiza el respeto por los derechos de ciudadanos y entidades jurídicas. Sus autoridades y su accionar son completamente independientes de los otros dos poderes.

## LEGALIDAD Y DEMOCRACIA

El país adoptó tempranamente una legislación social de avanzada. Creó desde las primeras décadas del siglo XX instituciones propias de un Estado de Bienestar, al estilo de las sociedades democráticas europeas. Leyes humanistas reconocieron derechos y diversos beneficios a los trabajadores, a las mujeres, a los ancianos y a los menores, todo lo que ubicó al país en una posición de liderazgo mundial en esta materia. La tradición democrática y el respeto por las leyes y la seguridad jurídica son rasgos característicos de la sociedad uruguaya. Desgraciadamente, en los años 70 del siglo XX, nuestro país sufrió un período de gobierno militar autoritario tal como sucedió en varios países de la región.

La normalidad institucional se restableció en su totalidad a mediados de los años 80 y desde entonces la constitucionalidad democrática rige sin fisuras la vida ciudadana, con alternancia de partidos de distintas orientaciones en el gobierno y sin interferencias ni desvíos de tipo alguno.

## EDUCACIÓN

La educación pública universal, laica y obligatoria a nivel primario y secundario, gratuita en todos los niveles -incluyendo el universitario- permitió, ya desde las últimas décadas del siglo XIX la alfabetización y la educación de prácticamente la totalidad de los habitantes. A la vez, un área importante de la educación es atendida por instituciones privadas entre las que se cuentan varias universidades que complementan a la universidad estatal.

## HISTORIA Y ECONOMÍA

Desde los tiempos coloniales, la economía se ha basado en la explotación agropecuaria y en el comercio a través del puerto de Montevideo, tránsito que luego se fue diversificando por varias vías. Es una economía de tamaño medio, con un mercado interno acotado por la escasa población, con un ingreso promedio cercano a los USD 14.000 per cápita (2011), que se apoya en la competitividad de sus cadenas agroindustriales y en el turismo como fuentes principales de ingreso. Desde los inicios del siglo XX, el Estado ha tenido una fuerte participación en la economía nacional mediante distintas intervenciones y regulaciones, y sobre todo a través de empresas públicas monopólicas en áreas consideradas estratégicas tales como energía, comunicaciones, combustibles, seguros, seguridad social y puertos.

Asimismo, la participación del Estado es hegemónica en otras actividades tales como la financiación de la vivienda, la banca, la atención de la salud y la educación. En las últimas décadas se ha intentado reducir la presencia estatal, fomentando la participación de empresas privadas en todas las áreas al eliminar o acotar los monopolios públicos, impulsando de esta manera la competencia, en procura de una mayor eficiencia general.

## URUGUAY NATURAL: AGRO E INDUSTRIA

Uruguay es un país especializado en la producción agropecuaria: produce alimentos y fibras en cantidades suficientes como para abastecer a una población varias veces mayor que la que contiene. La riqueza nacional proviene básicamente de la producción del campo. Actualmente, el país cuenta con aproximadamente 3,3 millones de habitantes, 11,6 millones de vacunos, 8 millones de ovinos y medio millón de equinos, además de una importante dotación de animales de granja (cerdos y aves, entre otros). Produce grandes volúmenes de granos, lácteos, cueros, lana, madera, cítricos y demás frutas, miel y productos de granja. El enfoque predominante es el de producción natural, sostenible ambiental y económicamente.

"Uruguay Natural" se ha conformado en la marca reconocida y promocionada oficialmente. Esa producción agropecuaria da sustento a una competitiva industria de procesamiento primario. La industria textil lanera, frigoríficos, curtiembres, industrias lácteas, malterías y molinos de cereales se destacan por la calidad de sus productos y su confiabilidad comercial. En los últimos años se ha agregado la madera y sus subproductos como gran rubro de vigoroso crecimiento y enorme potencial. Debido al reducido mercado interno, la producción se destina mayoritariamente a la exportación. En el pasado año, las ventas de bienes al exterior sumaron casi USD 9.500 millones, dos tercios de los cuales corresponden a productos agropecuarios.

## URUGUAY NATURAL: TURISMO Y SERVICIOS

El turismo es una actividad fundamental para el Uruguay, y que crece sostenidamente. En el pasado año ingresaron más de tres millones de visitantes extranjeros, los que aportaron más de USD 2.000 millones a la economía nacional. La mayor parte de los turistas ingresa en verano (desde mediados de diciembre hasta principios de marzo), en busca del turismo de sol y playa, pero existe un creciente desarrollo del turismo ecológico y rural que apunta a valorizar la belleza de los espacios verdes que caracterizan al paisaje uruguayo, así como del turismo termal que se puede disfrutar todo el año. También la actividad de negocios y los congresos empresariales o científicos atraen un creciente número de visitantes.

Otra área de servicios que crece vigorosamente es la logística, basada en la privilegiada ubicación geográfica del país y en el desarrollo de los puertos, desde donde se abastece a varios países de la región.

En términos globales, el sector terciario representa cerca de dos tercios de la economía nacional. La actividad del Estado está presente en todos los terrenos: un sector financiero desarrollado, con la presencia de numerosos bancos internacionales en competencia con la banca pública; y un sector de comunicaciones moderno -donde concurren la empresa pública y las más importantes multinacionales- que brinda servicios de telefonía básica, celular e Internet a prácticamente la totalidad de la población. Se han desarrollado muchas empresas tecnológicas innovadoras de diverso porte (entre las que se destacan las áreas de software, audiovisuales y publicidad) y empresas de servicios de todo tipo para la atención al público.

## ENERGÍA

En Uruguay todavía no se ha encontrado petróleo ni gas natural -aunque recientemente se han hallado promisorios indicios en la plataforma continental y también en el centro del territorio-, lo que obliga al país a una diversificación de fuentes alternativas. La matriz energética nacional tiene un alto componente de energía hidroeléctrica, a lo que se suma la que proviene de la biomasa de residuos forestales y de cáscara de arroz, el biodiesel a partir de aceites vegetales y grasas vacunas procedentes de la faena, y recientemente el etanol derivado de la caña de azúcar y el sorgo dulce. Por su parte, la utilización de energía eólica está en pleno desarrollo y se espera que aporte hasta el 20% de los requerimientos nacionales en el año 2015. Asimismo, un plan promocional de la empresa estatal de energía está favoreciendo la incorporación de equipos hogareños basados en energía solar.

# INTRO

The Oriental Republic of Uruguay, whose name indicates its geographical location, occupies a territory 176,215 sq km wide. It is situated to the E of the wide Río Uruguay that separates the country from Argentina. From E and N the country borders Brazil, whose economic, ethnic and cultural influence is visible in the bordering areas. From the S, the territory is bathed by the waters of the Río de la Plata (River Plate) and the Atlantic Ocean along 650 km of coasts. These waters, of a rich biodiversity, shape the shoreline -coves and open beaches of wide sands that have become attractive tourist points.

Its moderate climate -with four distinct seasons- and its territory of vast fertile prairies stretching throughout gentle rolling hills -with occasional rougher elevations- and watered by numerous water courses have -inevitably- rendered the country into an agricultural producer, with extraordinary comparative and competitive advantages.

Uruguay is crossed, in all directions, by an extensive road network, with urban and secondary roads that connect all the locations. Said network renders accessible the whole of the national territory with highways for the most frequented routes.

## EGALITARIAN SOCIETY

The Uruguayan population descends for the most part from Europeans, particularly Mediterranean, that came massively during the second half of the nineteenth Century and the first half of the twentieth. Still to this date, it is a scantily populated country (about 3.3 million inhabitants) with a low demographic density (19.2 inhabitants/sq km). Half of the total population resides in the capital city, Montevideo, and its surroundings. The availability of vast open spaces, even in the cities, is one of the typical features of the country. The Uruguayan society outstands in Latin America as one of the most egalitarian ones, with the best balanced income distribution among the different sectors of the population and without segregated ethnic minorities. Unlike the other countries of the continent, in Uruguay native populations did not survive the construction of the modern nation. The country was ranked 48th in the UN Index of Human Development and 3rd among the Latin American countries, behind Argentina and Chile.

Among other factors, the abovementioned Index measures life expectancy, levels of education, per capita revenues and access to basic services -such as drinking water among others. The average life expectancy at birth is 77 years (73 for male and 80 for female). Literacy overcomes 98 percent and the access to basic services (drinking water, power, fixed and mobile telephone system) amounts to almost 100 percent. However, in spite of the advances in the last years, the country still faces problems of difficult resolution, such as sectors of hard poverty and marginality.

## GOVERNMENT

Uruguay has a democratic, republican and representative government system, with the classic division in three independent branches. The Head of the Executive Power is the President of the Republic. The Legislative Power is exercised by the General Assembly formed by the Senators' Chamber and the Representatives' Chamber (or Deputies). The Senators' Chamber is composed by 30 members and the Vice-president of the Republic who presides over it. The Representatives' Chamber is composed by 99 members. Both the President of the Republic, the Vice-president and all the legislators are elected in universal elections held every five years. The Judicial branch guarantees the observance of the rights of citizens and legal entities alike. Its authorities and actions are totally independent from either of the two other powers.

## LEGALITY AND DEMOCRACY

Since early in its history Uruguay has adopted an advanced social legislation. Since the beginning of the twentieth Century institutions of a true welfare state were created, resembling those of the democratic societies in Europe. Humanist laws granted rights and benefits to workers, to women, to the elders and to minors, all of which has placed the country in a world-leading position in the matter. The democratic tradition, the observance of laws and the legal certainty are typical features of the Uruguayan society. However, in the '70s our country suffered a period of authoritarian government -as in several countries of the region.

The institutional normality was entirely restored by mid-80s and an unscathed constitutional democracy has governed civil life ever since, with the alternation of political parties of different orientations in the government and with no interferences or detours of any sort.

## EDUCATION

Public, universal, lay and compulsory primary and secondary education, at no costs at all levels -including university level- has allowed literacy and education to reach almost the whole population as early as from the last decades of the nineteenth Century. At the same time, an important area of education is covered by private institutions, among which there are several universities that complement the state university.

## HISTORY AND ECONOMY

Since the colonial times, the economy has been based on the agricultural exploitation and on the trade through Montevideo's harbour, a traffic later diversified through several other ways. It is a medium-sized economy, with an internal market limited by the scanty population with an average revenue that amounts to USD 14,000 per capita (2011), supported on the competitiveness of the agricultural chains and on tourism as the main sources of income. From the beginnings of the twentieth Century, the State has had a strong presence in national economy through diverse interventions and regulations, and especially through monopolist public companies in strategic areas such as energy, communications, fuels, insurances, social security and ports.

Likewise, the State participation is hegemonic in other activities such as house financing, banking, health care and education. The last decades have seen an -intended- decline in state presence aimed at encouraging the participation of private companies in all areas, by either eliminating or restricting public monopolies and thus stimulating the competition in seek of major general efficiency.

## 'URUGUAY NATURAL' (NATURAL URUGUAY): FARMING AND INDUSTRY

Uruguay is a country specialised in farming production. It produces enough food and fibres so as to supply a population several times its own. National wealth comes basically from the agricultural production. Nowadays, the country has about 3.3 million inhabitants, 11.6 million bovines, 8 million sheep and half a million equines, besides an important number of farm animals (pork and poultry, among others). Important volumes of grains, dairy products, leather, wool, wood, honey, farm products, citruses and other fruits are produced. Production is mainly approached as natural, financially sustainable and environmental-friendly.

'Uruguay Natural' has become a brand, officially acknowledged and promoted. Its agricultural production supports a competitive industry of primary processing. Textile wool industry, meat packing plants, tanneries, dairy industries, breweries and mills outstand for the quality of their products and their commercial reliability. During the last years wood and its by-products added to the list as a great item of vigorous growth and enormous potential. Given its reduced internal market, the production is mostly destined to exportation. In the last year, the exported goods amounted to around USD 9,500 million, two thirds of which correspond to agricultural products.

## URUGUAY NATURAL: TOURISM AND SERVICES

Tourism, an activity of extreme importance for the country, is evidencing a sustained growth. In the last year over three million foreign visitors entered the country, which supposed an income of over USD 2,000 million. Most of the tourists visit the country in summer -from mid-December to the beginning of March- seeking sun and beaches. However, ecological and rural tourism is also seeing an increase; an activity that aims at valuing the beauty of the green spaces that are the main feature of the country's landscape, as well as at encouraging the tourism that attends the thermal springs that can be enjoyed all the year round. Business undertakings, business or scientific congresses also draw an increasing number of visitors. Logistics is another sphere of the tertiary sector that is seeing a remarkable increase, due to the privileged geographical location of the country as well as to the development of its harbours and ports, from where many other countries of the region are being supplied.

The tertiary sector (services) represents approximately two thirds of the national economy. The State activity is present in all fields; in a developed financial sector -with the presence of several international banks that compete with the state banking system- and in a modern communications sector -that includes the public body as well as the most important multinational firms- that offers services of fixed, mobile telephony and Internet to almost the whole population. Many technological innovative companies have developed to a different extent (among which some in the software, audio-visual and advertising fields outstand) as well as companies covering all sorts of services.

## ENERGY

Uruguay has neither oil nor natural gas -yet, recently there have been promissory findings in the continental shelf as well as inland-, a reality that steers the country towards a diversification in the alternative sources of energy. The energetic national counterfoil is mostly composed by hydroelectric energy, to which adds the biomass produced from forest residues and rice straw, the biodiesel from vegetable oils and bovine fats after the slaughtering, and recently the ethanol from the sugar cane and the sweet sorghum. Besides, the resorting to the wind and solar power has seen an increase of late, and by 2015 these power sources are expected to contribute with up to 20 percent of the country's energy requirements. Likewise, a promotional plan of the state energy body is fostering the incorporation of home equipments based on solar energy.

# MONTEVIDEO

Montevideo, la capital del país, alberga a más de 1,3 millones de habitantes, más del 40% del total de la población nacional. La ciudad se formó en torno al puerto, situado en el seno de una amplia bahía coronada por un cerro, reparo natural que protege a los barcos de los fuertes e imprevistos vientos del Río de la Plata. El proceso fundacional de la ciudad se inició en 1724 por la necesidad de la Corona española de defender estas costas de las audaces incursiones portuguesas. La ciudad creció a partir de las actividades militares y comerciales centradas en el puerto. Más tarde, obtenida la independencia política del país, con la inmigración europea y el contacto con el mundo la ciudad se jerarquizó, lo que se fue evidenciando en la infraestructura urbana, la arquitectura, las amplias actividades sociales y en la calidad de vida de sus habitantes. Hoy es una ciudad cosmopolita, a escala humana y de estilo tranquilo y amable, con una rica oferta cultural y de esparcimiento.

La ecléctica arquitectura montevideana recoge influencias de distintas escuelas. En su variedad edilicia, en el diseño de sus parques y avenidas y en los numerosos monumentos y grupos escultóricos se expresa la prosperidad que la joven sociedad alcanzó en las últimas décadas del siglo XIX y que se prolongó hasta más allá de la primera mitad del siglo XX. Esta prosperidad tuvo su epicentro en la *belle époque*, en torno a la segunda y la tercera décadas del siglo pasado. Aquellas magníficas construcciones, mansiones privadas o sedes de instituciones públicas, los castillejos afrancesados de las familias patricias que en muchos casos son actualmente sede de representaciones diplomáticas extranjeras o que se han convertido en museos y locales de entidades internacionales, configuran un marco sobre el cual, a lo largo de las décadas sucesivas, se han ido incorporando actualizaciones, muchas veces vanguardistas. Entre las peculiaridades edilicias se destaca el Palacio Salvo que, situado en pleno centro de la ciudad frente a la Plaza Independencia, aporta desde 1928 su perfil característico. También en el Centro se destaca la Avenida 18 de Julio, la principal arteria de la capital, donde aún se halla gran parte del comercio minorista, además de núcleos culturales, varias plazas, edificios y monumentos referenciales. A lo largo de esta avenida se conservan muchos elegantes edificios de estilo clásico que alternan con audaces ejemplos de la arquitectura moderna.

Esta situación se da también en la Ciudad Vieja -situada en la península que cierra la bahía del puerto- a la que simbólicamente se accede por la Puerta de la Ciudadela ubicada en la Plaza Independencia al otro extremo del Palacio Salvo. Esa puerta es la antigua entrada a la otrora Montevideo amurallada de los tiempos coloniales. En la Ciudad Vieja predominan las antiguas construcciones -muchas recicladas manteniendo su estilo original- que actualmente albergan bancos, oficinas, importantes compañías, talleres y galerías de arte, elegantes comercios y algunas residencias particulares. En sus calles peatonales y plazas tiene lugar una intensa vida social, con numerosos



Montevideo, the capital of the country, has 1.3 million inhabitants, more than 40 percent of the whole national population. The city grew around its harbour which, nested in a wide bay crowned by a hill constitutes a natural shelter for ships against the sudden strong winds of the Río de la Plata. The foundational process of the city began in 1724, triggered by the need of the Spanish Crown to defend these coasts against the bold Portuguese advances. The city grew out of the military and commercial activities developed around the port. Later, after the independence of the country, with the European immigration and the contact with the world the city grew in importance and sophistication, which started being evidenced in its urban infrastructure, its architecture, the wide fan of social activities and the standards of living. Today it is a cosmopolitan city though at a human scale, of a rather calm and welcoming style and with a rich cultural and leisure offer.

Montevideo's eclectic architecture has gathered influences from different schools. Its variety, the design of parks and avenues and its numerous monuments and sculptures are the expression of the prosperity that the young society reached in the first decades of the nineteenth Century and that extended even beyond the first half of the twentieth. Such prosperity had its epicentre in the *belle époque* during the second and the third decades of last century. Those magnificent buildings -private mansions or seat of state agencies-, the French-styled castle-like houses of patrician families -many of which are, nowadays, seat of diplomatic foreign offices or have turned into museums and seats of international agencies- have shaped a style that throughout the decades has undergone renovations -*avant garde* most often. Among the peculiar buildings in main Downtown outstands the Palacio Salvo with its typical silhouette looming, since 1928, over the Plaza Independencia. Also in Downtown the Avenida 18 de Julio -the main artery of the capital city- is worth highlighting. It still hosts most of the retail stores besides cultural centres, several squares (plazas), buildings and emblematic monuments. Along this avenue, several elegant buildings of classic style alternate with bold examples of modern architecture.

This variety is also visible at Ciudad Vieja (the Old City) -placed in the peninsula that envelops the harbour bay. Its symbolic entrance is through the Puerta de la Ciudadela (Gate to the Citadel) located at the other end of the Plaza Independencia opposite the Palacio Salvo. This gate is the former entrance to the once walled Montevideo of the colonial times. In there, it is the old architecture that prevails -many recycled buildings that have kept their original style and that nowadays host banks, offices, important firms and companies, art workshops and galleries, elegant stores and some private dwellings. Along its pedestrian streets and squares develops an intense social life, with several different restaurants, antique shops, artisan stalls and establecimientos gastronómicos, anticuarios, puestos de artesanos y músicos callejeros, en coloridos y animados contrastes.

A pasos de la Puerta de la Ciudadela se encuentra el Teatro Solís, Monumento Histórico Nacional inaugurado el 25 agosto de 1856, recientemente restaurado y que cuenta actualmente con tecnología de última generación al servicio de las artes escénicas con una variada cartelera de espectáculos nacionales e internacionales. La Ciudad Vieja asimismo es el lugar de la 'movida' nocturna montevideana, y principalmente los fines de semana se transforma en ciudad nueva y juvenil donde puede escucharse música en vivo en los distintos pubs y discotecas, desde las últimas tendencias hasta tango rioplatense, así como cualquier otro ritmo, popular o moderno.

Frente al edificio de Aduanas y a la entrada principal del puerto -instalado en lo que fuera un antiguo mercado de frutas y verduras- se encuentra el Mercado del Puerto, un punto de gran convocatoria, de "parrilladas" -restaurantes especializados en carne y achuras asadas-, a las que se suman variadas ofertas gastronómicas y diversos puestos de artesanías locales.

Montevideo tiene una hermosa rambla panorámica que se extiende por más de 20 kilómetros conectando el Centro con los distintos barrios residenciales y que acompaña una sucesión de playas de arena, amplias bahías y ensenadas enmarcadas por puntas de piedra, lo que constituye el principal paseo de quienes residen en la ciudad. Además de los escenarios costeros, la ciudad tiene un buen número de parques que abarcan un total de 1.500 hectáreas, diversas plazas y rincones infantiles repartidos en los distintos barrios.
Las innumerables calles arboladas dan color a la ciudad. Montevideo es la capital con más árboles por habitante del mundo. Los barrios Prado y Capurro ubicados al norte de la ciudad aún hoy conservan las grandes casonas de estilo clásico rodeadas de frondosos jardines como vestigios señoriales de aquellos años prósperos donde todo parecía posible para la novel sociedad. La ciudad cuenta con dos canchas de golf de 18 hoyos, con lujosas instalaciones sociales y deportivas en amplios y bien cuidados parques. Se cuentan por centenas las canchas de fútbol, gimnasios deportivos, clubes y piscinas distribuidos por los distintos barrios. El coqueto Hipódromo de Maroñas, donde los fines de semana se desarrollan las carreras de caballos, integra el Grupo Uno, el más alto en la categorización internacional.

Además de su amplia oferta de sitios deportivos y de esparcimiento, Montevideo posee una tradición de ciudad culta donde tienen lugar numerosas expresiones artísticas e intelectuales, y constituye la sede de instituciones de pensamiento y de política de relevancia mundial.

street musicians; all together in lively and colourful contrast.

Just a few steps away from the Puerta de la Ciudadela is the Teatro Solís, a theatre and Historical National Monument inaugurated on the 25th of August, 1856. It has been restored in recent times and counts today on state-of-the-art technology to the service of the scenic arts. It offers a varied repertoire of national and international plays and performances. Likewise, at night the Ciudad Vieja is the venue for youngsters and mostly during the weekends this old district becomes lively and youthful once again. There, live music can be heard at different pubs and discotheques, from the last trends to River Plate tango, as well as different rhythms either popular or modern.

Opposite the Customs building and the main entrance to the harbour, installed in what once was a grocery market is the -always crowded- Mercado del Puerto, full of 'parrilladas' -barbecue restaurants which offer grilled meat and offal-, several gastronomic offers to choose from and diverse stalls of artisan crafts.

The Rambla constitutes the main urban promenade.
It stretches along more than 20 km connecting Downtown with the different residential neighbourhoods and runs along a string of sandy beaches, wide bays and rocky inlets. Besides the panoramic coastal scenery the city has several parks -covering a total of 1,500 hectares-, different squares and public playgrounds in different neighbourhoods. The foliage of countless wooded streets splashes the city with greenness. Montevideo is the capital city with the highest number of trees per inhabitant in the world. Even today, the districts of Prado and Capurro -located in northern Montevideo- keep big manor houses of classic style surrounded with leafy gardens as lordly vestiges of those prosperous years where everything seemed possible to the new society of those times.
The city has two golf courses with 18 holes, with luxurious facilities for social and sports activities amidst wide and elegant well-kept parks. There are also hundreds of football (*) fields, sports campuses, sport clubs and swimming pools scattered in different neighbourhoods. The elegant Maroñas racecourse -where horse races take place in the weekends- belongs to Group 1, the highest rank of thoroughbred horse races in the world.

Besides the wide range of sports and leisure amenities, Montevideo has a well-earned tradition as a cultural city with several artistic and intellectual activities, and it is seat of leading intellectual and political organisations of worldwide renown.

(*) soccer.

La original silueta del Palacio Salvo, criticada por muchos arquitectos en el momento de su construcción durante la segunda década del siglo pasado, se constituyó con el tiempo en un referente entrañable de la ciudad. Con sus 27 pisos que trepan hasta 95 metros de altura, fue durante décadas el edificio más alto de América del Sur.

The original silhouette of the Palacio Salvo, so much criticised by architects at the moment of its construction during the second decade of last century, became in time a dearly loved hallmark of the city. With its 27 floors that reach 95 mt, it has been, during decades the tallest building in South America.

Modernidad y tradición. Los ventanales al frente de la Torre Ejecutiva, nueva sede del gobierno del Uruguay, dan a la Plaza Independencia, en cuyo centro luce la estatua ecuestre de nuestro prócer máximo, don José Artigas.

Modernity alongside tradition. The large windows at the front side of the Executive Tower (Torre Ejecutiva) give to the Plaza Independencia, at whose centre stands the equestrian statue of our main national hero, don José Artigas.

KIOSCO
CIGARRILLOS
CIUDADELA
REFRESCOS - GOLOSINAS - REVISTAS
CIUDADELA
Plaza
Independencia

1907
Las Misiones
RARA AVIS

586
Museo Torres García
EDIFICIO ARTIGAS
SANCOR SEGUROS
URUGUAY
redpagos

El humo de las parrillas crea animadas escenas en el Mercado del Puerto, frente al edificio central de la Aduana

The smoke from the grills make lively scenes in the Mercado del Puerto, opposite the main Customs building

ESTANCIA
DEL PUERTO
EL PALENQUE
EL PALENQUE
Roldós
CATTIVELLI
BOLS
EN 1886
NACIO EL FAMOSO EXCLUSIVO MEDIO Y MEDIO
Roldós
MEDIO

# DE LA NATURALEZA A SU MESA

## FROM NATURE TO OUR TABLE

Ec. Silvana Bonsignore
Instituto Nacional de Carnes - INAC

La carne vacuna es el alimento básico de la población uruguaya, la mayor consumidora en todo el mundo, con unos 60 kilos por persona por año, sobre un total cercano a los 100 kilos, cuando se suman todas las carnes. La forma más popular de preparación de la carne es a la parrilla, asada a las brasas de leña de árboles nativos, con el fuego restallante a la vista de los comensales.

Uruguay tiene larga tradición y cultura en producción y exportación de carnes bovina y ovina. Durante siglos, los productores rurales uruguayos han aplicado cuidadosas prácticas humanitarias en la cría de ganado, de manera sustentable y en completa armonía con el medio ambiente. Por eso, el país es un referente a nivel mundial en temas de "Bienestar Animal". Nuestra carne, además de muy sabrosa, es también la más sana y segura. El sabor de las carnes provenientes de animales criados a cielo abierto y alimentados a pasturas naturales es único e incomparable. Pero además, esa forma de producir tiene otros beneficios: las carnes son más magras, tienen menos colesterol, altos índices de Vitamina E (antioxidantes) y cuatro veces más Omega-3 que las carnes convencionales.

Uruguay es el único país del mundo con 100% de trazabilidad obligatoria para su stock de ganado bovino y para todas las plantas frigoríficas del país. El proceso se inicia en el campo cuando nace el ganado, al que se le aplican caravanas electrónicas cuyos datos pueden leerse a distancia mediante un sistema computarizado (también conocido como "Cajas Negras") y que continúa hasta el corte final. A través de dichas caravanas se logra la identificación individual y el seguimiento de los animales por parte de los frigoríficos en los que se encuentra instalada una línea de puestos de control, balanzas-computadoras inviolables conectadas a un centro de contralor oficial que permiten monitorear el recorrido de la res en la planta hasta el envasado del corte en la caja y de allí hasta la góndola del minorista en cualquier parte del mundo. Asimismo, mediante la etiqueta es posible recorrer el camino inverso e identificar al animal y al predio del que provino. Este sistema cuenta con la certificación ISO 27001 y es auditado por el British Standard Institute (BSI) del Reino Unido. Así podemos conocer, paso a paso, todo el camino de la naturaleza a la mesa.

Beef is the basic food for Uruguayans. This is the country with the largest beef-consumption in the world -around 60 kg/person/year of a total nearing 100 kg, all types of meat included. The most common way of preparing meat is by roasting it on the grill on embers of hard wood from native trees, the blazing fire at sight for all diners to see.

Uruguay has a long culture and tradition as beef and lamb producer and exporter. For centuries, rural producers in Uruguay have been applying careful and respectful practices in cattle-raising, in a sustainable and environmental-friendly manner. Thus, our country has become a world reference as regards 'Animal Welfare'. Our meats are very tasty, but they are also the healthiest and safest to eat. The taste of meat from livestock raised grazing natural pastures freely in the open air is unique. Besides, such practice has other advantages: a less fat meat, with lower cholesterol, higher contents of Vitamin C (antioxidants) and four times more Omega-3 than beef from livestock raised the conventional way.

Uruguay is the only country in the world to achieve 100 percent traceability of livestock, being such practice mandatory for all slaughter houses and meatpacking plants. The tracking process starts in the fields, where each calf/yearling is identified with an electronic ear tag, whose data can be read by a remote computerised system -also known as "Black Boxes"- that permits an individual identification, tracing and follow-up of each beast through production and processing channels. Thus, premises of all slaughter houses and meat-packing plants are equipped with control chains with computerised scales connected to a state-controlled tracking centre that permits to trace each beast within the slaughtering house up to the packing of cuts, and from there to supermarket shelves anywhere in the world. Likewise, it is possible to track the beast all the way back to the premises it came from. The country has earned ISO 27001 certification and is being currently audited by the British Standard Institute (BSI). Thus, it is possible for us to know, step by step, all the way of the beef piece from nature to our tables.

# LA CIUDAD EN LA NOCHE

## THE CITY AT NIGHT

Montevideo cuenta con una intensa actividad artística y una amplia cartelera de entretenimientos. En las salas de espectáculos, teatros o en las calles, la capital ofrece una nutrida agenda cultural abierta al mundo pero con fuertes acentos locales en todos los géneros. Las numerosas agrupaciones teatrales, de danza y cine joven así como la calidad y abundancia de galerías de arte, museos, exposiciones de pintura, escultura y fotografía, muestras de artes plásticas y de artesanías tanto estables como callejeras, dan cuenta de una tradición afín a todas las expresiones artísticas.

En la noche, música de todos los géneros ameniza los más diversos ambientes de la capital: hip-hop, rock nacional o clásico en los boliches y pubs, jazz lento y *bossa-nova* en locales intimistas; tango nostálgico para escuchar y bailar, eventos de música electrónica sin fin en la madrugada, música tropical y candombe en los barrios. Siempre se encuentra una opción para ir a ver un espectáculo, salir a escuchar música, a tomar algo o ir a bailar o a encontrarse con amigos.

Montevideo ofrece la posibilidad de aventurarse en la apasionante tarea de explorar sus restaurantes, bares, boliches y pubs de diversos orígenes y para diferentes gustos e intereses. Esto nos permite conocer nuevos lugares, sabores y ambientes con las más diversas propuestas y así satisfacer el paladar y encontrarse a sí mismo en solitaria degustación o en compañía de seres queridos. La amplia oferta gastronómica permite a visitantes y locales degustar toda variedad de platos de la cocina local o internacional, lo que asimismo revela el carácter cosmopolita de la ciudad. Encabezados por las típicas parrilladas donde se asa la carne al restallante fuego de leña, se encuentran en la ciudad restaurantes de comida italiana, española, brasileña, portuguesa, peruana, mexicana, francesa, judía, árabe, armenia, china, japonesa y más propuestas basadas en la refinada cocina de fusión. La apertura al mundo, característica de una sociedad formada a partir de un crisol de culturas y nacionalidades permite a los habitantes un fácil acceso a los bienes de consumo de todo origen, ingredientes culinarios, bebidas y *delicatessen* de cualquier lugar del planeta.

Montevideo has an intense artistic activity and varied entertainments. Theatres and streets of the capital offer a rich and varied cultural program open to the world but with a strong local accent in all genres. The numerous theatre and dance companies, the rising national cinema, the quality and abundance of art galleries, museums, painting, sculpture and photography exhibitions, plastic arts and artisan crafts -either stable exhibitions or street stalls- evidence the long artistic tradition of the city.

At night, music creates the most diverse ambiances: hip-hop, national or traditional rock and roll in pubs and discos, slow jazz and *bossa-nova* in intimate pubs, nostalgic tango to dance or just to listen to; electronic music thundering till dawn, tropical music and Black candombe resounding through different districts and neighbourhoods. There is always a good choice of a show, music or dance, of a place to go out for a drink or just to meet our friends.

Montevideo offers the thrilling possibility of exploring its restaurants, bars and pubs of the most diverse origin and for the most varied tastes and interests. Thus, we may get to know new places, tastes and entourages with the most diverse offer to satisfy our palate and be on our own or in the company of those we love.
The vast range of gastronomic facilities allows locals and foreigners alike to taste the wide variety of dishes of either international or local cuisine, which reveals the cosmopolitan character of the city. With the typical parrilladas in the lead -where meat roasts to the blazing wood fire-, the city hosts Italian, Spanish, Brazilian, Portuguese, Peruvian, Mexican, French, Jewish, Arabian, Chinese or Japanese restaurants or others of refined fusion cuisine. Being open to the world, a characteristic of a society raised from a melting pot of cultures and nationalities, allows us an easy access to consumer goods, culinary ingredients, drinks and *delicatessen* from anywhere in the world.

TEATRO SOLIS
BACACAY

PILSEN
Absenta
omé

La Ciudad Vieja una noche de diciembre
December evening at the Old City

HOTEL

El Teatro Solís fue inaugurado en 1856. Ubicado en la Ciudad Vieja, fue restaurado a nuevo en los últimos años, con estricto respeto a su distinguida historia de Teatro de Ópera y a su bello estilo.

The Teatro Solís (Solís Theatre), inaugurated in 1856. Located at the Ciudad Vieja, it has been fully restored in the last years, with strict observance of its distinguished history as Opera Theatre and of its beautiful style.

Desde su fundación el 27 de agosto de 1935, el *Cuerpo de Baile del Sodre* fue quien impulsó la pasión por el ballet en Uruguay. Actualmente, instalado en el flamante Auditorio Nacional Adela Reta y bajo la dirección artística del maestro Julio Bocca, el *Ballet Nacional Sodre* (BNS) -tal es su nueva denominación- abrió para sí nuevos y desafiantes horizontes. El auditorio -obra de los arquitectos Jorge Di Pólito, Diego Magnone, Isidoro Singer y Juan Carlos Vanini- cuenta con el escenario más grande del país, con una altura de 27 metros y su arco de proscenio es de 15,50 metros por 12 metros. La sala principal Eduardo Fabini tiene capacidad para 2.000 espectadores.

Since its foundation on August 27, 1935, the Sodre Ballet Body has been significant in the growing enthusiasm and passion for ballet in Uruguay. Nowadays, installed in the brand new Adela Reta National Auditorium and under the artistic direction of Master Julio Bocca, the Sodre National Ballet (BNS-Ballet Nacional Sodre) -such is its new denomination- has seen open new and challenging horizons. This building -by architects Jorge Di Pólito, Diego Magnone, Isidoro Singer and Juan Carlos Vanini- has the largest stage in the country -27 meters high-, and a proscenium arch 15.50 x 12 meters wide. Its main hall named after composer Eduardo Fabini has 2,000 seats.

# ARTE

Emma Sanguinetti
Periodista cultural, crítica de arte, docente, escritora y abogada
Cultural journalist, arts critic, teacher, writer and lawyer.

El Uruguay es, por sus peculiaridades históricas, un país singular dentro del contexto artístico latinoamericano. Carecemos de las maravillosas tradiciones culturales indígenas que han marcado a nuestro continente, así como también somos huérfanos de las herencias coloniales españolas, que con sus brillos barrocos inundan nuestra América. Somos una nación que debió crear su imaginario estético a medida que se iba construyendo políticamente, forjándose al ritmo de gauchos, negros y criollos, y a partir de la segunda mitad del siglo XIX, al impulso y energía del aluvión inmigratorio europeo. Lo sorprendente del caso es que a pesar de estas fuertes condicionantes el Uruguay ha descollado en la pintura desde sus inicios republicanos, y luego supo aportar generaciones enteras de pintores -muchos de ellos de vanguardia-, hoy valorados en el ámbito internacional no solo por sus cualidades plásticas sino también por las influencias que ejercieron sobre artistas de la región y de Europa.

La historia se inicia con quien es reconocido como el padre del arte nacional, Juan Manuel Blanes (1830-1901), quien nace en el año en que se consagra la primera Constitución Nacional. Será Blanes, formado en Europa bajo las férreas normas del arte académico italiano, el responsable de la construcción del imaginario nacional a través de una pintura histórica que revive el acontecimiento de manera tan realista como elocuente y heroica, con precisión técnica y obsesión por el detalle. Las siguientes generaciones, las que construirán el Uruguay de la modernidad de cara a la transición hacia el siglo XX, serán las encargadas de luchar por la afirmación de la identidad. Es en el cruce de estos pensamientos y de estas batallas que se erige la multifacética figura de don Pedro Figari (1861-1938). Abogado, político, educador, pensador y pintor, Figari fue el hombre universal que supo hacer de su obra plástica el gran resultado final de un pensamiento en imágenes, como un gran cierre sinfónico de una constante y permanente reflexión sobre el hombre.

Otras dos grandes figuras de la plástica nacional -de renombre internacional en nuestros días- son Rafael Barradas (1890-1929) con su "vibracionismo" y Joaquín Torres García (1874-1949) con su "constructivismo". Ambos desarrollaron parte de su obra en el exterior, en el centro mismo de los cambios; Barradas en España donde vivirá hasta casi el final de su vida y será vital en el nacimiento de la vanguardia española, y Torres García primero en España, luego en París y Nueva York, para finalmente regresar al Uruguay en 1934 a inmortalizar su gran legado como el Maestro de la Escuela y Taller de Arte Constructivo. De este germen histórico-fundacional sustentado en la búsqueda de la libertad creativa, la singularidad expresiva y la autonomía de lenguajes, nacerá el arte uruguayo casi como un torrente de fuerza incontenible, caudal que lo erige como una de las grandes pasiones nacionales y que, de cara a un mundo global del arte, no deja de sorprender por su inagotable calidad y el multifacético perfil de sus creadores.

Due to its historical characteristics, Uruguay is a singular country in the context of Latin American art. We lack the wonderful cultural indigenous traditions that have branded our continent. We have, as well, grown deprived of the colonial Spanish heritage, whose baroque lights have illuminated our continent. We are a nation that had to create its own aesthetic imaginary as it grew as a political entity, forging itself to the pace of Gauchos, Black people and Criollos (*) and, from the second half of the nineteenth century, to the impulse and thriving force of the massive migratory European waves. Surprisingly, in spite of such strong determining factors Uruguay has excelled in painting, and has produced full generations of painters -*avant garde* in most of the cases-, with worldwide recognition today not only for their artistic qualities but also for the influence that, in turn, they have exerted on regional and European artists.

The history begins with who has been hailed as the father of national art, Juan Manuel Blanes (1830-1901), born the same year our first National Constitution was sworn. It would be Blanes, schooled in Europe under the strict rules of the Italian Academicism, who would build the national imaginary through his historical paintings that re-live the events with utter realism, eloquence and heroism, with technical accuracy and obsession for the details. The following generations, which would build up Modern Uruguay envisaging the transition towards the twentieth century, would struggle for the affirmation of a national identity. It is at the crossing of this new way of thinking and amidst the struggles of the young nation that raises the multifacetic figure of don Pedro Figari (1861-1938). Lawyer, politician, educator, thinker and painter, Figari was the universal man that well knew how to turn his plastic work into the great final result of a thought rendered into images, as if it was the grand symphonic closing of a constant and permanent reflection on mankind.

Other important figures of the national plastic arts -international figures nowadays- are Rafael Barradas (1890-1929) with his 'vibrationism', and Joaquín Torres García (1874-1949) with his 'constructivism'. Both developed part of their work abroad, in the main core of changes; Barradas in Spain where he would live almost until the end of his life and who would become a vital factor in the birth of the Spanish *avant-garde* current, and Torres García, first in Spain, then in Paris and New York, who would return to Uruguay in 1934 to immortalise his great legacy as the Master and Teacher of the Constructive Art School and Workshop. Of this historical-foundational germ, born from the search for creative freedom, the expressive singularity and the autonomy of languages, the Uruguayan art would raise almost as an uncontrollable flood that has turned into one of the big national passions and that, facing a new arts global world never fails to surprise us for its inexhaustible quality and the multifacetic profile of its creators.

(*) Creoles.

# CARLOS GARDEL, EL ZORZAL CRIOLLO

## CARLOS GARDEL, THE CREOLE THRUSH

El tango es la música típica tanto de Uruguay como de Argentina, y su máxima figura es Carlos Gardel, conocido como "El Zorzal Criollo". Gardel falleció en un accidente de aviación en Medellín, Colombia, en 1935, pero al decir de nuestro pueblo, "cada día canta mejor". A lo largo de más de 800 canciones, muchas de ellas de su autoría, el repertorio de Gardel traza con precisión el mundo que le tocó vivir. Si bien vivió y fue mentor de la idiosincrasia porteña (de Buenos Aires, la capital de Argentina), estudiosos y pobladores de nuestro país reivindican el origen uruguayo del cantor, quien según las investigaciones habría nacido de una unión ilegítima en el seno de una familia de Tacuarembó, la que ocultó ese acontecimiento debido a los prejuicios sociales del momento.

Tango is the typical music both of Uruguay and Argentina, and its main representative is Carlos Gardel, known as 'El Zorzal Criollo' (The Creole Thrush). Gardel was killed in a plane crash in Medellín, Colombia, in 1935, but according to the saying 'he sings better every day'. Through more than 800 songs, many of them of his authorship, Gardel's repertoire accurately depicted the world he lived in. Though he lived and strongly contributed to create the porteño(*) idiosyncrasy, scholars and Uruguayan citizens claim the Uruguayan origin of the singer who, according to researches would be born of an illegitimate union in Tacuarembó, in the bosom of a family that concealed his birth due to the social prejudices of that moment.

(*) Porteño, meaning 'from the port area', widely applied to those living in Buenos Aires, the capital of Argentina.

# ALFREDO ZITARROSA

## LA MILONGA ES HIJA DEL CANDOMBE COMO EL TANGO ES HIJO DE LA MILONGA

THE MILONGA (*) IS THE OFFSPRING OF CANDOMBE
AS THE TANGO IS THE OFFSPRING OF THE MILONGA

En los años 60 del siglo XX, otro cantor galvanizó a las masas: Alfredo Zitarrosa. Cantor y compositor referencial del género llamado "canto popular", escritor, locutor y periodista, referencia ineludible de la cultura de nuestro país, Zitarrosa expresó como nadie las aspiraciones y valores de los compatriotas de su tiempo. Se erigió en verdadero representante y embajador de la identidad cultural del Uruguay, para los uruguayos dentro y fuera del país, y para los extranjeros conocedores de nuestra cultura.

Su voz grave y profunda, su poesía de dramáticos tonos, su seria estampa enfundada siempre en un traje oscuro y sus entrañables "milongas" siguen vivas en el alma nacional. Perseguido por sus ideas políticas durante la dictadura militar (1973 - 1984), vivió duros años de exilio durante los cuales sus canciones fueron prohibidas en toda la región, dominada en ese entonces por regímenes autoritarios. Con el restablecimiento de la democracia, Zitarrosa volvió al país, donde murió prematuramente, en pleno auge y rodeado del afecto de su pueblo.

In 1960s, another singer galvanised the masses; Alfredo Zitarrosa. Singer and referential composer of the so called 'folk singing' genre, writer, radio broadcaster and journalist, unavoidable reference of the Uruguayan culture, Zitarrosa expressed like nobody else the expectations and values of his contemporary countrymen. He became a true representative and ambassador of the Uruguayan cultural identity, both for Uruguayans living in the country and abroad and for those foreigners well acquainted with our culture.

His deep and profound voice, his poetry of moving tones, his solemn look -always wearing a dark suit-, his warm and unforgettable milongas, everything is still alive in the national soul. Persecuted for his political ideas during the military dictatorship (1973-1984), he lived long years of hard exile during which his songs were banned in the whole region then ruled by authoritative regimes. With the reestablishment of democracy, Zitarrosa returned to Uruguay, where he died prematurely at the peak of his career and surrounded by the affection of his people.

(*) Milonga: music form of the River Plate that preceded tango.

# MARIO BENEDETTI

*Pausa*

*De vez en cuando hay que hacer*
*una pausa*
*contemplarse a sí mismo*
*sin la fruición cotidiana*

*examinar el pasado*
*rubro por rubro*
*etapa por etapa*
*baldosa por baldosa*

*y no llorarse las mentiras*
*sino cantarse las verdades.*

Mario Benedetti nació el 14 de setiembre de 1920 en Paso de los Toros, Uruguay. Fue un escritor prolífico: publicó más de 90 libros con más de 1200 ediciones y ha sido traducido a más de 25 lenguas. Su obra aborda diversos géneros -novelas, cuentos, poesía, crítica literaria, ensayos, dramaturgia-. Muchos de sus poemas han sido musicalizados. Lo han hecho desde Pablo Milanés hasta Joan Manuel Serrat. A lo largo de su extensa trayectoria artística Benedetti supo expresar la esencia del sentimiento popular uruguayo.

Mario Benedetti was born on September 14, 1920 in Paso de los Toros, Uruguay. He was a highly prolific writer: he published over ninety books with more than 1200 editions and his works have been translated into over 25 languages. His books encompass most genres; novels, short stories, poetry, literary criticism, essays and playwriting. Many of his poems have been made into songs by musicians such as Pablo Milanés and Joan Manuel Serrat. During his long artistic career he well knew how to convey the essence of the Uruguayan people's way of feeling.

# CARNAVAL: CANDOMBE Y MURGA

## CARNIVAL: CANDOMBE AND MURGA

El Carnaval del Uruguay es el más largo del mundo dado que se celebra durante más de un mes. Comienza en el mes de febrero, durante el cual se realizan simultáneamente diferentes espectáculos generalmente en escenarios callejeros donde distintos grupos actúan e interpretan alegres canciones y libretos creados para la ocasión, luciendo vistosas indumentarias originales.
En los tablados (escenarios) alternan las murgas, los humoristas, los parodistas, las comparsas lubolas y los espectáculos de revista, que conforman géneros diferentes, cada uno con su estilo, su tipo de música y su coreografía particular. El humor y la crítica política y social componen la esencia de las actuaciones, que atraen a numeroso público cada noche.

Uno de los hitos de esta fiesta tiene lugar en el multitudinario desfile de "Llamadas", en el que numerosas agrupaciones -"comparsas de lubolos", integradas mayoritariamente por afrodescendientes- desfilan al son de las cuerdas de tambores que hacen vibrar las calles de los barrios Sur y Palermo de Montevideo. Las esculturales vedettes y los personajes típicos del mundo colonial de los negros -gramilleros, escoberos, mamas viejas-, cada uno con sus vestimentas y coreografías específicas encabezan el desfile de cada comparsa. La población de origen africano representa alrededor de un 6% de la población total del Uruguay, y tiene su mayor concentración y punto de referencia cultural en estos barrios de la capital. Dicha colectividad ha aportado al acervo musical del país su ritmo característico, el candombe, poderoso toque de tambores en madera y cuero, y que hoy constituye la base ineludible de muchas expresiones musicales autóctonas.

The Uruguayan Carnival is the longest in the world since its celebrated for over a month. It begins in February, and during this month different shows take place simultaneously; popular theatre stages where different groups clad in original garments interpret merry songs written for the occasion. In the popular theatres alternate parody actors, humour actors and comparsas lubolas -groups formed for the most part by Afro descendants accompanied with drums-, with shows of varied genres, each one with its own style, its music and its particular choreography. Humour, political and social satire are the essence of performances, which attract large audiences every night.

One of the stars of Uruguayan carnival are the multitudinous 'Llamadas' (or 'Summoning Parades'), during which numerous comparsas lubolas -black comparsas- parade to the sound of the drums that shake the streets of the Montevidean neighbourhoods Sur and Palermo. The sculptural vedettes and the typical prominent figures of the black colonial times -gramilleros, broom-makers, black mamas-, each one in their garments and specific coreographies head the parade of every comparsa. The population of African origin amounts to 6% of the total population of Uruguay. It is mainly concentrated in the neighbourhoods above mentioned; a cultural point of reference for this community that has contributed to our musical tradition with its typical rhythm, the candombe: powerful touch of drums made in wood and leather, and that today constitutes the unavoidable base of many musical autochthonous expressions.

de
20

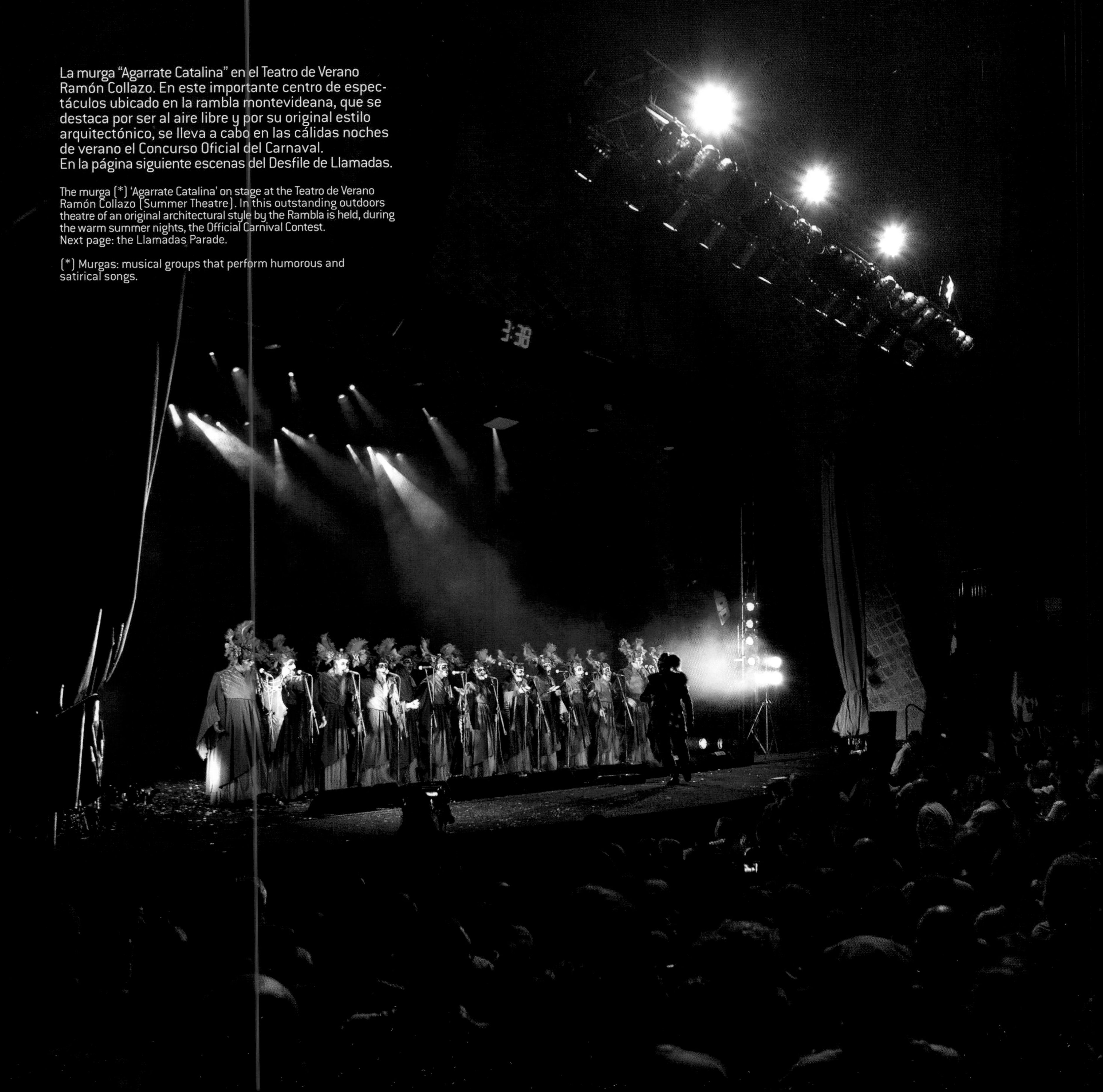


La murga "Agarrate Catalina" en el Teatro de Verano Ramón Collazo. En este importante centro de espectáculos ubicado en la rambla montevideana, que se destaca por ser al aire libre y por su original estilo arquitectónico, se lleva a cabo en las cálidas noches de verano el Concurso Oficial del Carnaval.
En la página siguiente escenas del Desfile de Llamadas.

The murga (*) 'Agarrate Catalina' on stage at the Teatro de Verano Ramón Collazo (Summer Theatre). In this outstanding outdoors theatre of an original architectural style by the Rambla is held, during the warm summer nights, the Official Carnival Contest.
Next page: the Llamadas Parade.

(*) Murgas: musical groups that perform humorous and satirical songs.

# EL MATE
## SEÑAL DE IDENTIDAD

MATE (*)
SIGN OF IDENTITY

Si hay bebidas que caracterizan a los pueblos, el mate es la de los uruguayos. Más que una bebida, es un rito que casi cada habitante de este suelo cumple diariamente, con devoción religiosa. En las madrugadas y en los atardeceres del campo, en las oficinas y en paseos urbanos, en el descanso, en los momentos de esparcimiento, en soledad o en compañía, en las rondas de estudio o de discusión el mate es infaltable para los uruguayos, como lo es el té para los ingleses o el café para tantos pueblos del mundo. Se trata de una infusión ligeramente estimulante, de sabor amargo, que se obtiene de las hojas molidas de Yerba Mate (*Ilex paraguariensis*), un pequeño árbol común en la región aunque prefiere climas más cálidos que el del Uruguay. Nuestro país es el principal consumidor per cápita de yerba mate que, sin embargo, debe ser importada íntegramente del Brasil.

La palabra "mate" deriva de la voz indígena *mati* que designa a la calabaza de la enredadera *Lagenaria vulgaris*, el recipiente en el que se vierte la yerba, y que cabe en la palma de la mano. La infusión se sorbe a través de una bombilla, caño hueco generalmente de metal, aunque también puede ser de caña o de madera. Los indios guaraníes ya tomaban mate antes de la llegada de los españoles, pero fueron los curas jesuitas, en las célebres misiones de los tiempos coloniales, quienes hicieron de la producción y el comercio de la yerba mate una actividad de gran impacto económico en la región. En el campo se toma generalmente junto al fogón, en las pausas del trabajo, en rueda de paisanos, mientras se dora a las brasas una paleta o un costillar ovino, cebando el agua caliente directamente de una caldera de hierro o de lata. En la ciudad, el agua caliente normalmente se vierte de un termo, botella térmica que los ingleses han usado para trasladar su té desde mediados del siglo XX.

If drinks characterise the peoples, the traditional one for Uruguayans is *maté*. More than just an infusion, it is a rite that almost every inhabitant in this country performs every day, with religious devotion. At dawn and in the late afternoons in the countryside, at the office and in urban promenades, during a break, in leisure time, alone or in company, in study groups or discussion gatherings, *mate* is a must for Uruguayans, as is tea for English people or coffee for so many peoples in the world. It is a sligthly stimulant infusion of bitter flavour, made of the crushed leaves of Yerba Mate (*Ilex paraguariensis*), a common small tree that grows in the region but preferently in warmer climates than that of Uruguay. Our country is the main per capita consumer of yerba mate that, nevertheless, must be entirely imported from Brazil.

The word 'mate' derives from the Indigenous word *mati* that designates the gourd of ivy *Lagenaria vulgaris*, the container filled in with the herb, that fits in the palm of one hand. The infusion is drunk with a bombilla, a hollow straw usually made of metal, but that can also be made of cane or wood. The Guarani Indians were already maté drinkers before the arrival of the Spanish Conquerors, but the Jesuit priests of the famous missions of the colonial times were the ones that made of the production and the trade of the yerba mate an activity of great economic impact in the region. In the countryside it is usually drunk by the fire, during a pause at work, in a countrymen gathering, while a beef blade or lamb ribs are being roasted on the embers. The hot water is poured directly from an iron or tin kettle. In the city, the hot water is usually poured from a thermos, a container used by the English to store their tea since mid-twentieth Century.

(*) English pronounciation: Maté (mä'tā)

# CHIVITO

El sabroso "chivito" es un sandwich popular de fino bife colocado entre dos panes con variado acompañamiento. Es creación de la gastronomía uruguaya y puede ser degustado en los diferentes bares de las ciudades del país. Es el equivalente a la hamburguesa en Estados Unidos, pero con lomo vacuno en vez de carne picada.

The tasty 'chivito' is a popular sandwich made of a thin filet steak between two halves of a bun, served with different sides. It is a creation of the Uruguayan gastronomy and can be eaten at any city bar in the country. It is the equivalent of the hamburger in the United States, but with bovine meat instead of minced meat.

(*) Chivito: small goat (from chivo, goat)

# MUZZARELLA

Otro clásico de la comida al paso de los uruguayos es la pizza, cocinada en horno de ladrillo calentado a leña. En particular la pizza cubierta con una capa de queso muzzarella derretida recuerda la fuerte influencia italiana en la cocina popular.

Another classic of Uruguayan fast food is the pizza baked in a wood-fired brick oven. Especially the pizza covered with melted mozzarella cheese reminds of the strong Italian influence in the popular cuisine.

# FUTBOL

## FOOTBALL / SOCCER

**Ricardo Piñeyrúa**
Pofesor de Educación Física y Periodísta
Physical Education Teacher and Journalist

El fútbol es parte de la historia de Uruguay y hace a su identidad: fue credencial de presentación del joven país y el mundo conoció nuestra bandera cuando trepó a lo más alto del podio olímpico al recibir la medalla de oro en los Juegos Olímpicos de París de 1924. Este deporte llegó del otro lado del océano y bajó del barco en brazos de los marinos ingleses, que lo jugaban en los baldíos cercanos al mar ante la atónita mirada de los criollos, quienes lo adoptaron rápidamente. Al fútbol de nuestro país lo hicieron duro los gallegos, pícaro los italianos, rápido los afrodescendientes, cerebral los centroeuropeos, con alternancia del toque corto escocés y el pase largo inglés.

Su particular identidad sorprendió al mundo cuando volvió a cruzar el océano para ganar en forma consecutiva dos juegos olímpicos: París 1924 y Amsterdam 1928. Solo dos años después, en 1930, se consagró como el primer campeón mundial, en el torneo jugado en nuestra ciudad capital, transformando al celeste de su camiseta en el dominador del mundo.
La pasión de los uruguayos por el fútbol es tal que el Estadio Centenario, sede del primer Mundial, se construyó en sólo seis meses. Hoy es monumento histórico del fútbol mundial.

Pese al receso de los campeonatos mundiales por la Segunda Guerra Mundial, los éxitos en la primera mitad del siglo pasado siguieron dándose en América y principalmente en el Río de la Plata, centro del fútbol del mundo en esa época. Al volver al Mundial en 1950 Uruguay logró su mayor hazaña, aún inigualable, al derrotar a Brasil en Río de Janeiro en la final donde obtuvo su segundo título ante 200 mil brasileños que asombrados vieron cómo se les escapaba el festejo de las manos. Los éxitos celestes se cimentaron en un fútbol local apasionado. De la empresa inglesa del ferrocarril nació Peñarol, primero como equipo inglés, luego de sus trabajadores, y del color de sus señales tomó el amarillo y negro. De las banderas patrias tomó sus colores el cuadro criollo para enfrentarlo, Nacional. Desde principios del siglo pasado hasta hoy los dos han dividido las pasiones de los uruguayos a tal punto que los periodistas debemos nombrarlos dos veces: Nacional-Peñarol, Peñarol-Nacional. Se disputan hasta la antigüedad, queriendo ambos ser el primero y más viejo de nuestro fútbol. Lo ganaron todo. Hegemónicos en títulos uruguayos, ganadores continentales e intercontinentales, llegaron a poner en un partido clásico los máximos títulos posibles superando a otros clásicos como el de Boca-River, Inter-Milan y hasta el Real Madrid-Barcelona.

Bajo la conducción técnica del maestro Oscar W. Tabárez y con un equipo de notables jugadores como Diego Forlán, Luis Suárez y Diego Lugano entre otros, el fútbol de Uruguay se rencontró con el camino del éxito al obtener el cuarto puesto en el Mundial de Sudáfrica 2010 y volviéndose a consagrar por quinceava vez campeón de América en Argentina 2011, lo que la convirtió en la selección más ganadora de este torneo ante la mirada sorprendida del mundo entero que se pregunta cómo es posible que un país con poco más de tres millones de habitantes alcance semejantes lauros.

Football is part of the Uruguayan history and has branded the country's identity. This sport was the credential of the young country and the world knew our flag when it reached the highest of the Olympic podium as Uruguay won the Gold medal in Paris 1924. Football had been brought from beyond the ocean by English sailors that used to play it in wastelands by the sea, before the amazed eyes of the Criollos that would adopt the sport rapidly. The football of our country was rendered tough by Galicians, mischievous by Italians, fast by Afro descendents, cerebral by Central Europeans, with the alternation of the Scottish short-pass and the English long-pass.

Its particular identity amazed the world when it crossed the ocean back to win two successive gold medals at Olympic Games; Paris 1924 and Amsterdam 1928. Only two years later, in 1930, Uruguay would become the first champion in the World Cup held in Montevideo, when the sky-blue colour of the team's shirt became the football's world leader. So strong is the passion of Uruguayans for football that the Estado Centenario -the national stadium-, venue of the first World Cup, was built in only six months. Today it is a historical monument to the world football.

In spite of the World Cup recess during WWII, the triumphs during the first half of last century continued in Latin America and especially in the Río de la Plata, heart of the world football at that time. At the 1950 World Cup, Uruguay achieved their major exploit -still second-to-none- by defeating Brazil in Rio de Janeiro in the final match where they obtained their second victory before the amazed eyes of two hundred thousand Brazilians that were forced to witness the cup slip through their fingers. The triumphs of La Celeste (*) solidified in a local passionate football. From the English railroad company, Peñarol Football Club was born, as an English team first. Later on, from its workers and from the railroad signs took its colours -yellow and black. Its opponent, the Criollo team Nacional took its colours from the national flags (**). From the beginning of last century up to this date, the two teams have divided the passions of Uruguayans to such an extent that we journalists have to mention both teams twice: Nacional-Peñarol, Peñarol-Nacional. Each of them wants to be the first and oldest Uruguayan football team. They won everything. There were hegemonic winners of national, continental and intercontinental titles. They even managed to place in a Classico more leading titles than other Classicos like Boca-River, Inter-Milan and even Real Madrid-Barcelona.

Under the coaching of Schoolteacher Oscar W. Tabárez and with a team of remarkable football players such as Diego Forlán, Luis Suárez and Diego Lugano -among others-, the Uruguayan National Team is again on the road to success as it finished Fourth in the World Cup in South Africa 2010 and won, for the fifteenth time, the Copa América in Argentina 2011 being, thus, the most winning team of this championship, before the surprised eyes of a world puzzled by so small a country -with hardly 3 million inhabitants- having already achieved such awards.

(*) Celeste: generic name taken from the sky-blue colour of the national team's shirt.
(**) Blue, red and white.

**Enrique Estrázulas**
Escritor uruguayo contemporáneo
Contemporary Uruguayan writer

La rambla montevideana, caracterizada por puntas, puertos y bahías, no tiene parangón en el mundo. Como hijo de Punta Carretas y de la Punta Brava tengo incorporado el viento a mi metabolismo, los aires de ese río ancho como mar; "mar pensante", según el Conde de Lautréamont. La rambla es el pulmón de Montevideo, con su viento sur que ahuyenta la contaminación de la ciudad.

En días calmos, de sol, la rambla es el punto más alto de respiración, del revivir urbano, de la piedad sureña después de una cruel invernada. También del vaivén de chalanas, botes y barcos deportivos, del pasaje de los grandes navíos de ultramar.

Las fotos son el ojo humano que hurga en esa larga maravilla que bordea Montevideo. Son arte mayor apoyado en el cariño por el paisaje vernáculo que me arriman a esas sudestadas, a esas virazones, a ese violento sol, a las mansas tardes de otoño.

The Montevidean Rambla, characterised by spits, harbours and bays, has no comparison in the world. As a son of Punta Carretas and Punta Brava the wind is in my metabolism, the airs of that wide river like a sea; the 'pensive sea' according to Count of Lautréamont. The sidewalk is the lung of Montevideo, with its Southern winds that drive the pollution of the city away.

In calm sunny days, the sidewalk becomes the breathing site *par excellence*, where the city revives, and where the southern mercy takes over after a cruel wintertime; also the place for the shuttling of lighters, boats and sport ships, and for the passage of huge overseas ships.

Photos are the seeking human eye along that stretching wonder that skirts Montevideo. They are greater art built on affection for the homeland landscape, and they bring me closer to those southern winds, to those sea-breezes, to that violent sun, to the tame Autumn afternoons.

# RAMBLA, RESPIRACION Y LEJANIA

## RAMBLA, BREATHING AND EXPANSE

Bahía de Pocitos, concurrido paseo urbano, playa serena y elegante barrio residencial

Pocitos Bay. Crowded urban promenade, serene beach and elegant residential district

Montevideo
PROHIBIDO
EL INGRESO
DE
VEHICULOS

Escenas de la rambla montevideana
Scenes of the Montevidean Rambla

Vista de la Rambla Sur mientras las primeras luces del centro de la ciudad se reflejan sobre la mansa bahía de la Playa Ramírez.

View of the Rambla Sur as the first lights of downtown reflect on the still waters of Playa Ramírez.

# INSTITUCIONES SERVICIOS Y COMERCIO

## INSTITUTIONS, SERVICES AND TRADE

A la caída del sol, las primeras luces destacan el majestuoso Palacio Legislativo, símbolo de la representación ciudadana, donde sesionan las Cámaras de Senadores y Diputados. El monumental edificio recubierto de hermosos mármoles nacionales realza los ideales democráticos del país. Su arquitectura neoclásica de fuerte inspiración griega fue obra del arquitecto Vittorio Meano y el edificio fue construido por la empresa "G. y M. Debernardis". La decoración estuvo a cargo del arquitecto Gaetano Moretti. Fue inaugurado en 1925, en el primer centenario de la Declaratoria de la Independencia. En el año 1975 fue declarado Monumento Histórico Nacional.

En un contraste de modernidad, en la cercanía del puerto se alza la Torre de las Telecomunicaciones, de 160 metros de altura total, obra del arquitecto Carlos Ott y sede de las oficinas centrales de ANTEL, la compañía telefónica estatal. El Complejo Torre de las Telecomunicaciones es una obra vanguardista que con el tiempo se convirtió en un símbolo de la empresa pero también de la capital, generando una imagen propia de modernidad y progreso. Uruguay cuenta con una cobertura integral en telefonía fija, es el primer país latinoamericano en número de celulares por habitante -área en la que también participan grandes multinacionales-, y ocupa uno de los primeros lugares del continente en el acceso a Internet con tecnología de avanzada.

En toda la ciudad edificios clásicos alternan con construcciones modernas. La renovación arquitectónica y el desarrollo de nuevas áreas de servicios y comercio de última generación expresan elocuentemente los avances económicos y tecnológicos del país. Entre otras, las torres del World Trade Center Montevideo emplazadas en el entorno cercano al puerto del Buceo, o los edificios futuristas de Zonamérica -zona franca cercana al aeropuerto de Carrasco- y entre los que se encuentra el edificio Celebra del arquitecto Carlos Ott en asociación con Carlos Ponce de León Arquitectos, evidencian la pujanza de una economía integrada al mundo del siglo XXI. Las zonas francas, áreas delimitadas exoneradas de impuestos locales y ubicadas en distintas partes del país, ambientaron la instalación de numerosas empresas de producción y servicios de primer orden mundial, las que valoran la calidad de la infraestructura y el alto nivel de educación general de la población trabajadora.

At sunset, the first city lights illuminate the profile of the majestic and imposing Palacio Legislativo (Legislative Palace), the symbol of the people's representation where both the Chambers of Senators and Deputies hold their sessions. The monumental building covered with beautiful Uruguayan marbles highlights the ideals of Uruguay's democratic sovereignty. Its neoclassic design strongly influenced by Greek architecture was the work of architect Vittorio Meano, and its construction was undertaken by the building company 'G. y M. Debernardis'. Architect Gaetano Moretti was in charge of its interior decoration and design. It was inaugurated in 1925 on the occasion of the first Centenary of the Declaration of Independence. In 1975 it was declared National Monument.

As a modern contrast, near the harbour raises the Tower of the Telecommunications (Torre de las Telecomunicaciones), a 160-meter high work by architect Carlos Ott and headquarters of ANTEL, the state telephone company. The array of buildings the Torre de las Telecomunicaciones consists of is an *avant-garde* work that, with time, has turned into a symbol not only of the telecommunications company itself but also of the whole city and conveys an image of modernity and progress. Uruguay has fixed telephony full coverage; it is the top Latin American country regarding the amount of mobile phones per inhabitant -a sector that also involves private companies- and is among the top ones as concerns access to Internet with cutting edge technology.

Along the whole city buildings of classic style alternate with examples of modern architecture. The architectural renovation and the development of new areas devoted to the latest services and trade express more than eloquently the country's economic and technologic advances. Among others, the towers of the World Trade Center Montevideo -located nearby the Buceo harbour- or Zonamérica's futurist buildings -duty-free zone near Carrasco's airport- that include the building Celebra by architect Carlos Ott in association with the firm Carlos Ponce de León Arquitectos, clearly evidence the driving force of an economy already integrated to the trends of the twenty-first century. Duty free zones -enclosed areas exempt from the payment of import taxes and duties- scattered in different parts of the country, have encouraged the set up of several world-class production & service companies that appreciate the quality of infrastructure and the high level of general education of Uruguayan working classes.

Torre de las Telecomunicaciones

(página siguiente)
Edificio Celebra de Zonamérica
World Trade Center Montevideo

Telecommunications Tower

(next page)
Celebra Building in Zonamérica
World Trade Center Montevideo

Claro
Calle Cr. LUIS E. LECUEDER
SHOPPING
Avda. RIVERA

KATOEN NATIE TERMINAL TCP
KATOEN NATIE TERMINAL TCP

El Puerto de Montevideo sigue siendo un factor esencial en la vida económica del país, tanto por sus condiciones naturales como por su privilegiada ubicación geográfica para servir a toda la región del Río de la Plata. Su actividad como puerto regional crece vertiginosamente: en el último año movilizó a más de 10 millones de toneladas, en su mayor parte en contenedores.

Montevideo's Harbour is a key factor in the country's economy due to its natural conditions and its privileged geographical location so favourable for the supply of the whole region of the River Plate. Its activity as a regional port has been growing dramatically with the freight and allocation of 10 million tons of goods, mostly in containers, only in the last year.

En una reafirmación de su apertura al mundo, Uruguay estrenó recientemente un magnífico aeropuerto, diseñado por el arquitecto uruguayo-argentino Rafael Viñoly. El edificio, de corte futurista, se destaca por su funcionalidad y la belleza de sus formas.

Stressing on opening to the world, Uruguay has recently inaugurated a magnificent airport. The building, of futuristic style, was designed by the renowned Argentinian-Uruguayan architect Rafael Viñoly, and it outstands for its functionality and the beauty of its forms.

# EL CAMPO

## THE COUNTRYSIDE

El territorio uruguayo es utilizable productivamente casi en su totalidad. De sus 17,6 millones de hectáreas, 16,5 millones se hallan afectados a alguna actividad agropecuaria, y el resto son ciudades, caminos, ríos y lagunas. En los primeros años del nuevo siglo el país ha experimentando una aceleración en la transformación productiva, lo que también ha implicado alteraciones en el uso tradicional del suelo. Aún hoy el territorio se halla mayoritariamente destinado a la producción ganadera de carne vacuna, rubro que ocupa unos 13,5 millones de hectáreas.

En gran parte del territorio, ganado vacuno y ganado ovino comparten tierras de pastoreo. Unas 800 mil hectáreas están orientadas a la producción lechera, que ha retrocedido en superficie utilizada pero que ha aumentado en volumen de producción. Anualmente se destinan alrededor de 1,2 millones de hectáreas a la agricultura, pero en gran parte del área se siembran dos cultivos anuales lo que significa que hay al menos 1,6 millones de hectáreas con cultivos comerciales. Gran parte de esas tierras también son destinadas a pastoreo en un sistema de rotación agrícola-ganadera, modelo característico de la producción uruguaya de innegables virtudes conservacionistas.

La práctica de la agricultura se basa en tecnologías de última generación que han revolucionado al sector en los últimos años. Las mejoras en el rendimiento y el abatimiento de los costos debido a la utilización de nuevas variedades de semillas y técnicas de laboreo se suman a la organización de empresas en red y al desarrollo de sistemas comerciales de avanzada. La forestación -otro rubro en el que el país tiene ventajas comparativas por su suelo, agua y clima- registra un crecimiento sostenido desde la aprobación, en 1987, de su ley promocional. Existen 3,5 millones de hectáreas de suelos livianos, de baja fertilidad, con escasa productividad agrícola o ganadera pero de excelente aptitud forestal. En esos campos se han implantado desde entonces alrededor de 1 millón de hectáreas de bosques artificiales, la gran mayoría en el marco de proyectos aprobados por la Dirección Forestal.

Existen más de 750 mil hectáreas de montes nativos, en general ribereños a los ríos y arroyos, cuya explotación comercial está restringida y controlada. En los montes y bosques plantados también se llevan a cabo labores ganaderas en sistemas de silvopastoreo de creciente difusión y gran potencial de desarrollo.

Asimismo hay lugar para la explotación intensiva; productos hortícolas, viñedos, frutales de hoja caduca, cítricos, y también nuevos rubros de creciente importancia y gran futuro como los arándanos y olivares. Estos productos abastecen el mercado interno con productos de calidad, pero muchos apuntan cada vez más a los mercados de exportación.

Almost the whole territory of the country is apt for agricultural production. Of its 17.6 million hectares of lands, 16.5 million are devoted to some agricultural activity, with cities, roads and highways and rural ways, rivers and lagoons occupying the remaining area. During the first years of this century there has been an acceleration of the productive systems in Uruguay which has also led to changes in the traditional use of the soil. Still today, the territory is mostly destined to beef production -around 13.5 million hectares.

Beef cattle and sheep share most of the grazing lands. About 800 thousand hectares are devoted to dairying whose production has increased in spite of covering a less extended surface. On an annual basis, 1.2 million hectares are devoted to agriculture. However, as in most of this area two crops grow each year, the total amount of cultivated surface amounts to at least 1.6 hectares. To a great extent, these lands are also used for cattle-grazing in rotation systems, a characteristic pattern of the Uruguayan production, of undeniable advantages as regards conservation.

Agriculture is based on cutting-edge technology that has, of late, modernised the sector dramatically. Improvements in crop performance and cost reduction due to new varieties of seeds and more advanced labour techniques add to an efficient business network and to the development of advanced commercial systems. Forestation -another item for which Uruguay has remarkable advantages such as appropriate soil, water and climate- has experienced a steady growth since the approval of the Forest Law in 1987. There are 3.5 million hectares of light low-fertility soils, with scanty agricultural or cattle productivity but extremely apt for forestation. Since then, approximately 1 million hectares of these lands have been planted with artificial forests, most of this within the frame of projects approved by the Forestation Board.

Over 750 thousand hectares are covered with native woods usually by rivers and creeks, whose commercial exploitation is carried out under strict regulation. Artificial woods are also apt for cattle and livestock labours that have been increasingly carried out in sylviculture systems of great potential.

There is also place for intensive exploitation: horticultural products, vineyards, annual fruit trees and citruses. Also new crops such as blueberries and olive trees have seen a vigorous increase with a promising future. These quality products mostly supply the internal market but more and more international markets have been their targets of late.

Naturaleza y tecnología. La trazabilidad hace posible la identificación individual de los animales por medio de caravanas electrónicas.

Nature and technology. The tracking system allows the individual identification of each animal by means of electronic ear tags.

UY
01681
2315

Desde mucho antes de existir como nación, el territorio estaba poblado con vacunos. En 2008 se cumplieron 400 años de la introducción de los primeros ganados por parte del gobernador de la Corona Española en esta región -radicado en Asunción del Paraguay-, don Hernando Arias de Saavedra, más conocido como Hernandarias. Actualmente, con un rodeo vacuno de 11,5 millones de reses, la producción de carne sigue siendo la principal actividad económica del país.

La producción ganadera se realiza predominantemente en forma extensiva. Las razas vacunas mayoritarias son las británicas -Hereford y Angus-, pero también hay presencia significativa de muchas otras razas británicas, continentales y cebuinas. Con la introducción de nuevos procesos, razas y pasturas la modernización de la producción ganadera se potencia con el desarrollo y los avances tecnológicos. El programa de trazabilidad 100% obligatoria para el stock de ganado bovino y para todas las plantas frigoríficas, hacen al Uruguay país líder mundial en la materia. La trazabilidad hace posible la identificación individual de los animales por medio de caravanas electrónicas y la identificación del corte de carne en la góndola del minorista en cualquier parte del mundo mediante la etiqueta. De esta manera se hace posible recorrer el camino inverso del corte de carne, e identificar al animal y al predio del que provino: “de la naturaleza a su mesa”.

No obstante los avances tecnológicos, el Uruguay defiende su perfil de productor de carne “natural” proveniente de vacunos criados y engordados en libertad, en sistemas amigables, respetuosos del bien-estar animal. Está rigurosamente prohibida la utilización de hormonas, antibióticos o proteínas animales en las raciones. La carne que se ofrece está certificadamente libre de las enfermedades más graves como la Aftosa y la “Vaca Loca”, por lo que brinda las garantías de cali-dad e inocuidad que los consumidores exigen hoy a sus proveedores.

Los ovinos, parte esencial del paisaje uruguayo, siguen teniendo gran importancia, a pesar de que han visto fuertemente reducido su número desde comienzos de los años 90 cuando el rubro lanero enfrentó una crisis a nivel mundial. Con unas 9 millones de cabezas (estimativo 2012), y una producción de aproximadamente 35 millones de kilos de lana destinada casi íntegramente a la exportación, Uruguay sigue siendo un actor relevante en el mundo, en el que se destaca como exportador de tops de lana peinada. Respondiendo a políticas específicas, el país ha desarrollado la producción de lana superfina (de menos de 20 micras), una especialidad que tiene aplicaciones en tejidos y prendas de alta calidad y elevado precio. En la última década también se ha ido incrementando la producción de carne de cordero de alta calidad. Se aprovecha así el carácter de doble propósito (carne y lana) de las principales razas que se explotan en el país. La carne ovina ocupa un lugar pequeño pero muy valorado en el mercado mundial y el país tiene óptimas condiciones para su producción.

Long before Uruguay existed as a political entity, cattle had already spread throughout our territory. The year 2008 was the 400th anniversary of the introduction of cattle herds by the then Governor appointed by the Spanish Crown with jurisdiction over this part of the continent -settled in Asunción del Paraguay-, don Hernando Arias de Saavedra, better known as Hernandarias. Nowadays, cattle and livestock in our territory amount to 11.5 million, and meat production keeps being the country's main economic activity.

Extensive cattle-raising prevails with the British Hereford and Angus cattle breeds in the lead. However, there is also an important presence of other British cattle breeds as well as Zebu and Continental European. The introduction of innovative processes, new races, different pastures and cutting-edge technological advances has led to a dramatic improvement in livestock and cattle production. The cattle traceability program -100 percent mandatory in Uruguay for all beef stock and all slaughter houses and meat processing and packing plants- has turned our country into a world leader in the matter. Thus, it is possible to track and identify the cut from the store shelf back to the rural establishment the animal came from. 'From nature to our table.'

Technological advances notwithstanding, Uruguay sticks to a profile as 'natural-meat' producer, meat from livestock bred and fattened grazing freely in the open air, in an environmental-friendly system and in strict compliance with animal-welfare regulations. The use of hormones, antibiotics or animal proteins in feedstuffs is strictly forbidden. Our meat is certified as free from most serious diseases such as Foot and Mouth and Mad-Cow Diseases. Thus, our beef offers all warranties as regards quality and safety, so in demand by suppliers and con-sumers nowadays.

Sheep & lamb rising is still an extremely important part of the Uruguayan production in spite of having seen a decrease since the beginning of the 90's when the wool market faced a worldwide crisis. With 9 million heads (2012 est.) and a production of approximately 35 million kilos of wool destined almost entirely to exportation, Uruguay is still a leading wool producer at a worldwide scale and a renowned exporter of combed wool tops. In compliance with specific policies, superfine wool (below 20 microns) is being produced in Uruguay nowadays, a product destined to high quality and costly cloths and garments. During the last decade the production of high quality sheep meat has also seen an increase. The most important races bred in the country yield top quality meat and fleece. Sheep & lamb meat occupies a small but highly valued niche in the world market, and the country has ideal conditions for such production.

PlantVisor

# INDUSTRIA LECHERA

## DAIRYING

La lechería ocupa alrededor de 800 mil hectáreas, en las que unos 4.000 productores, con un total de unas 700 mil cabezas vacunas, obtienen alrededor de 2.400 millones de litros de leche por año (estimativo 2012). De esa producción más del 80% es captado por las industrias procesadoras y el resto da lugar a la elaboración de productos artesanales -quesos, dulce de leche y manteca, entre otros- en los mismos predios lecheros y que se destina básicamente al consumo doméstico. La producción y la exportación crecen sostenidamente con grandes avances en los últimos años. Con una exportación de U$D 700 millones, los lácteos (básicamente quesos, leche en polvo y manteca) constituyen uno de los principales sectores recaudadores de divisas del país. Dos tercios de la producción se destinan a la elaboración de productos para exportar.

La población uruguaya consume leche fluida y derivados lácteos en un nivel similar a los países desarrollados: el equivalente a unos 240 litros por persona por año. Esto garantiza una alimentación adecuada a las necesidades fisiológicas por su aporte en proteínas, vitaminas y minerales (especialmente calcio), que suelen constituir graves carencias en otras sociedades.

La producción lechera se realiza mayoritariamente en régimen de pastoreo sobre pasturas sembradas y complementado con granos, aunque crecientemente se desarrollan sistemas más intensivos, con algunos rodeos integralmente estabulados e instalaciones de ordeñe con la más moderna tecnología mundial. La producción lechera ha sido desarrollada prioritariamente por establecimientos familiares de tamaño medio o pequeño, pero en los últimos años el rubro ha atraído a inversores del exterior y de otras ramas de actividad que están conformando empresas mucho mayores en cuanto a capital, área y volúmenes de producción. Tanto la productividad como la calidad de la leche alcanzan parámetros de excelencia. Por la versatilidad de sus sistemas productivos Uruguay, junto a Argentina y a Nueva Zelanda son los países productores de leche de calidad más competitivos del mundo.

La renovación tecnológica en el campo se corresponde con un proceso similar a nivel industrial. La principal empresa láctea sigue siendo una cooperativa de productores, Conaprole, pero también tienen presencia relevante otras empresas, algunas extranjeras multinacionales.

Dairying occupies about 800 thousand hectares. With 4,000 producers and about 700 thousand bovine heads milk production amounts to 2,400 million litres a year (2012, est). This volume goes to the processing plants. Over 80 percent of it is destined for milk production itself and at the same premises the rest is used in the elaboration of cheese, dulce de leche (milk caramel) and butter -among others. Such products are basically destined for domestic consumption. Both production and exportation have grown significantly during the last years. Seven hundred million dollars have been exported in dairy products (cheese, powdered milk and butter, basically). As two thirds of the dairy products are exported, these have turned into one of the country's main sources of income.

The Uruguayan population consumes milk and dairy by-products to an extent similar to that of developed countries -approximately 240 litres per capita per year. This covers all human requirements of milk proteins, vitamins and minerals (especially calcium), unsurpassable lacks in other areas of the planet.

Dairy farming is mostly based on grazing systems of planted pastures, with livestock fodder supplemented with grain. However, more intensive systems have been implemented lately with milking parlours -or sheds- and dairy facilities with state-of-the-art technology. Up to now, dairy production had been undertaken and carried out mostly by small and medium-sized family firms but lately this sector has drawn foreign investors from diverse business spheres that are nowadays setting up much larger companies as regards capital, coverage and production volumes. Both milk productivity and quality meet top standards at a worldwide scale. Uruguay, together with Argentina and New Zealand are the most competitive milk-producing countries in the world.

Technology at industry level must keep apace with innovations in the fields. The main dairy producer in Uruguay is still Conaprole -a producers' cooperative-, but also other smaller companies are relevant, multinational firms some of them.

# AGRICULTURA EN ASCENSO

## GROWING AGRICULTURE

La primera década del nuevo siglo se caracterizó por la fuerte suba de los precios de los bienes de consumo, entre ellos los alimentarios, y en particular los granos. En Uruguay esta tendencia mundial se potenció debido a factores domésticos y regionales, lo que dio un impulso extraordinario a los cultivos agrícolas. Al aumento de las áreas sembradas se sumó la mejora en la productividad de los cultivos, lo que determinó un incremento notable en los volúmenes de producción: en pocos años, la cosecha de granos se cuadruplicó.

En la campaña 2011-2012 se habrán de cosechar cerca de 8 millones de toneladas de granos, liderados por la soja, seguido por el trigo, luego los granos forrajeros -maíz y sorgo- y la cebada cervecera. Complementan la serie otros cultivos de menor área o que han perdido importancia como el girasol, la avena y la colza. En los cultivos bajo riego se destaca el arroz: Uruguay produce en las planicies del este y del norte variedades de grano largo de alta calidad, lo que sitúa al país dentro de los 6 principales exportadores del mundo de este cereal. Como la mayor parte de los granos se destina a la exportación, en 2012 la agricultura considerada en su conjunto supera por primera vez en la historia la recaudación de divisas del complejo cárnico, constituyéndose en el principal sector de comercio exterior. Este perfil productivo se habrá de consolidar en los próximos años, en tanto la frontera agrícola puede expandirse hasta duplicar la actualmente utilizada dada la aptitud de los suelos en otras zonas del territorio.

Al generar enormes volúmenes de producción, la intensificación agrícola de los años recientes constituyó un gran desafío para la infraestructura y la capacidad logística del país, lo que impulsó la construcción de silos, instalaciones portuarias y caminería así como la multiplicación de tránsito de camiones y otras maquinarias.  No existen impuestos ni trabas a la exportación, lo que ha atraído a productores de otros países, en particular argentinos, así como a empresas multinacionales de comercialización de granos.

En el norte del país, donde predomina un clima subtropical, se produce caña de azúcar y sorgo dulce destinados a la producción de azúcar y etanol. Estos rubros, considerados estratégicos, reciben apoyo oficial y son motor de desarrollo en la frontera con Brasil. Asimismo se produce una amplia variedad de frutas y hortalizas de alta calidad. Se destacan los cítricos, con una producción de aproximadamente 350 mil toneladas anuales, de las cuales el 70% se destina a la exportación. Los cítricos de estas latitudes se caracterizan por su peculiar *flavour* -combinación de sabor y aroma de delicados tonos ácidos-, lo que les otorga un perfil único y reconocido de calidad.

The first decade of this century has been characterised by the strong rising of commodity prices in general -food products among them-, and of grains in particular. In Uruguay, this world trend has been stimulated by domestic and regional factors, all of which has given an extraordinary boost to agriculture. To the increase of sowed areas added an improvement in the productivity of crops, which, in turn, has determined a considerable increase in production volumes. As a result, in just a few years, grain production has quadrupled.

The campaign 2011-2012 foresees a harvest of near 8 million tons of grain, led by soybean, followed by wheat, then fodder grain -such as maize (corn) and sorghum- and barley. Other lesser crops complement this series, such as sunflower, oat or oilseed rape. Among crops under irrigation rice outstands. The eastern and northern Uruguayan plains produce different varieties of high quality long grain rice, which positions the country amongst the 6 main rice exporters in the world. As most of grain production is exported, in 2012, and for the first time in history, incomes from agriculture -considered globally- surpasses those revenues from meat sales, thus turning grain production into the main sector of foreign trade. This productive profile will solidify in the next years. The agricultural possibilities can be enhanced and even double given the aptitude of soils in other zones of the country.

By generating huge production volumes, the increase of agriculture in the country has posed a great challenge for both infrastructure and logistics capabilities, a fact that has fostered the raising of silos, port facilities and road networks, as well as implied a significant increase in truck and machinery traffic.
In Uruguay, exports are not tax-levied nor hindered, which has drawn foreign producers, particularly from Argentina, as well as multinational grain-trading companies.

In the N, where a subtropical climate prevails, sugar cane and sweet sorghum are grown, destined to the production of sugar and ethanol. These strategic branches of production count on official support and constitute the driving force of development in the bordering areas with Brazil. Uruguay produces a wide range of quality fruits and groceries. Citric fruits outstand, with a production of approximately 350 thousand tons a year, from which 70 percent is exported. Citruses from these latitudes excel for their particular flavour -a combination of delicate bitter nuances-, which renders them unique and of outstanding quality.

CASE
2188
AXIAL-FLOW

2003
TANNAT

# VINOS DE CALIDAD CON PERFIL PROPIO

## QUALITY WINES WITH A DEFINITE PROFILE

La ubicación geográfica del Uruguay, el clima templado con influencias marítimas y suelos adecuados para el cultivo de la uva, dan al país un perfil apropiado para la producción vitivinícola. El vino ha estado presente desde los tiempos coloniales en las mesas familiares y esa tradición se reforzó con la cultura de sus principales vertientes inmigratorias provenientes del Mediterráneo europeo. La producción comercial se remonta a las últimas décadas del siglo XIX por el accionar de pioneros de origen europeo como el vasco-francés Pascual Harriague, introductor de las primeras cepas de uva Tannat.

En las últimas dos décadas se ha desarrollado, con apoyo oficial, un programa de reconversión y mejoramiento de las cepas vitícolas y de los procesos productivos, así como de modernización de la industria elaboradora del vino que ha logrado una mejora notable en la calidad de los productos.

Actualmente, en poco más de 2 mil viñedos -que ocupan cerca de 9 mil hectáreas- se produce la uva que, elaborada en 270 bodegas de distinta dimensión, resulta anualmente en más de 90 millones de litros de vino. De ese volumen, un 20% corresponde a vinos finos y recibe la certificación VCP, Vinos de Calidad Preferente, cada vez más apreciados por el público conocedor.

Los vinos finos nacionales integran el panel de productos alimenticios nacionales de alta gama que en forma creciente se ofrecen al consumidor exigente en cuanto a la calidad, inocuidad y efectos beneficiosos para la salud. Un elevado consumo interno -de más de 30 litros por persona/año-, absorbe la mayor parte del vino que se produce, aunque varias de las principales bodegas vuelcan una pequeña proporción de sus mejores marcas a los mercados externos, con excelente aceptación y alentadoras perspectivas de crecimiento.
La variedad Tannat, que proporciona un vino tinto de buen cuerpo, se ha constituido en una seña de identidad de la vitivinicultura uruguaya con destacado reconocimiento internacional. En los certámenes y catas expertas más importantes del mundo, vinos uruguayos obtienen frecuentemente lauros de primer orden.

The country's geographical location, its moderate climate influenced by the seas and its soils ideal for growing grapevines turn the country extremely apt for wine production. Wines have been on our tables since the colonial times, a tradition that was reinforced by the main migratory waves from the European Mediterranean area.
Commercial winemaking goes back to the last decades of the nineteenth century thanks to the efforts of European pioneers such as the French-Basque immigrant Pascual Harriague, who introduced the first Tannat vines.

In the last two decades officially-supported programs have been implemented to improve vine-stocks and modernise the production processes, which has led to remarkable improvements in the quality of wines.

Nowadays, the whole of grapes grow in over 2,000 vineyards and wineries that cover around 9,000 ha. After the harvest, 270 wineries of different sizes and production capacities process the grapes, which results in over 90 million litres of wine a year. Of this volume, 20 percent corresponds to fine wines bearing the VCP Designation ('Quality Wines'), increasingly appreciated by connoisseurs.

Uruguayan finest wines are part of the list of high-end national food products -as regards quality, safety and beneficial effects on health- that exigent consumers are offered.
Most of the wine produced in Uruguay is absorbed by an important internal market -over 30 litres/person/year.
However, several main vineyards and wineries destine a small proportion of their best brands for foreign markets where their wines have earned an excellent renown with even more encouraging perspectives. The Tannat variety, which yields a full-bodied red wine, has become a sign of identity of Uruguayan viticulture with a well-earned reputation. At the most important world contests and expert wine-testing events, Uruguayan wines are often awarded the most important prizes.

# NUEVOS CULTIVOS

## NEW CROPS

Dentro de la amplia variedad de nuevos rubros frutícolas que se están desarrollando en el país se destacan los olivos y los arándanos, productos con firme demanda en los mercados internacionales. Como es lógico, debido al reducido mercado interno, estos cultivos tienen una orientación netamente exportadora. La plantación de olivos está en pleno crecimiento: ya abarca unas 9 mil hectáreas y se proyecta que en pocos años alcance las 15 mil, lo que permitirá la producción de unas 10 mil toneladas de aceite de oliva por año. Ya están funcionando 16 almazaras (molinos en los que se procesa la aceituna para extraer el aceite), situadas en las cercanías de los cultivos, para procesar el fruto inmediatamente después de la cosecha, condición indispensable para obtener el aceite de máxima calidad. El aceite extra virgen uruguayo alcanza los mejores niveles de calidad y sabor en los certámenes especializados de todo el mundo.

Los arándanos, por su parte, han ido en aumento en área y producción en la última década. Se exporta como fruta fresca, clasificada y acondicionada, para ingresar directamente a las góndolas del hemisferio Norte, aprovechando la contraestación respecto a la cosecha en las principales zonas de consumo mundial. Una pequeña parte se destina a la industria de alimentos local. Existen en producción unas 800 hectáreas de arándanos que ofrecen unas 2,4 mil toneladas a la venta, y se obtienen unos U$S 16 millones anuales por concepto de exportación anual.

Tanto en olivos como en arándanos, pequeños productores familiares coexisten junto a grandes empresas, algunas de ellas de propiedad extranjera, que aplican las mejores técnicas y marcan el rápido ritmo de crecimiento de estos rubros.

Junto a estos rubros también se producen otros, como las almendras y las nueces pecan, que encuentran en los campos uruguayos un ambiente favorable para prosperar y ofrecen a pequeñas unidades y a los inversores de mayor escala una alternativa productiva interesante, que ya empieza a manifestarse en el aumento de la producción y en las nuevas plantaciones que se han ido instalando.

Among the wide range of new crops being grown in Uruguay olive trees and blueberries outstand, both products in strong demand in international markets. Due to our limited internal market most of this production is exported. The growth of olive trees has increased dramatically: it already covers about 9 thousand hectares and is expected to reach 15 thousand hectares, which will allow the production of about 10 thousand tons of olive oil a year. Sixteen oil-mills by the olive fields are already at work. They process the olives immediately after harvest -a *sine qua non* condition for top-quality oil. Therefore, Uruguayan extra-virgin oil meets the highest quality and flavour standards at specialised contests all over the world.

In turn, blueberry production has increased and expanded during the last decade. Fresh market blueberries, classified and packed are exported directly to the northern Hemisphere, taking advantage of the counter-station at the main zones of world consumption. A small part is destined to the local food industry. Around 800 hectares of blueberry crops yield about 2.4 tons for sale, and in the last year exports amounted to about USD 16 million.

Small-sized family firms that grow both olive trees and blueberries coexist with large companies -foreign ones among them. They all rely on state-of-the-art technology matching the fast growth of this particular sector.

Besides, other items such as almonds and Pecan nuts are produced. Uruguayan fields are a favourable environment for such crops to prosper, and they offer small firms and larger investors an interesting alternative, such interest being evidenced in a growing production and an increasing number of plantations.

La explotación de los montes de eucaliptos y pinos sembrados en las últimas dos décadas cubre aproximadamente 1 millón de hectáreas. Uruguay figura como un exportador relevante de pulpa de celulosa, chips de madera y rolos, paneles contrachapados y maderas aserradas, como principales productos. Los ganados pastorean en las calles y los bajos entre los bosques, en una conjunción beneficiosa para ambos rubros.

The exploitation of eucalyptuses and pine woods planted in the last two decades covers a surface of approximately 1 million hectares. Uruguay is an important exporter of cellulose pulp, chips and rolls, plywood panels and sawn lumber. Cattle herds graze by the roads and glades in the woods, in a joint venture beneficial both for forestation and cattle-raising.

La instalación de molinos para aprovechar la energía eólica está en pleno desarrollo y se espera que, en 2015, aporte hasta el 20% de los requerimientos nacionales. Actualmente la mitad de la matriz energética corresponde a diferentes sistemas renovables. El más importante es a partir de la energía hidráulica, con cuatro grandes represas en los principales ríos, pero se han ido agregando sistemas de biomasa proveniente de la industria forestal y la cáscara de arroz, así como biocombustibles: etanol derivado del cultivo de caña de azúcar y el sorgo dulce; y biodiesel a partir de cultivos oleaginosos, soja y girasol, así como del sebo de la faena vacuna.

The installation of windmills is in full development and, by 2015, this source of energy is expected to cover up to 20 percent of the national power requirements. Nowadays, half of our energy matrix corresponds to different renewable systems. The main one is hydro-electric power -with four large dams located on the main rivers-, but other systems have also been gradually incorporated, such as the one that processes biomass from forest residues and rice straw as well as biofuels: ethanol from sugar cane and sweet sorghum and biodiesel from vegetable oils -such as soja and sunflower oils- and bovine fat after slaughter.

PHOTO: NACHO

# EL GAUCHO

Casi desde los comienzos fundacionales de la colonia, una parte importante de la población de la campaña estuvo conformada por un tipo humano bien definido con perfiles propios, el gaucho, fruto rústico de los cruzamientos entre los españoles y portugueses con la población indígena y con la de negros escapados de la esclavitud de los saladeros del sur de Brasil. Según la tradición e incluso los testimonios de eminentes viajeros de los tiempos coloniales y posteriores tales como Charles Darwin, el gaucho, habitante de inmensos territorios semidespoblados, era un individuo solitario y autosuficiente, jinete legendario, poderoso físicamente, estoico y resistente a la adversidad de un ambiente frecuentemente hostil y a las peripecias de la vida a la intemperie. El coraje, la hospitalidad, el desinterés por los bienes materiales, la audacia y sobre todo la rebeldía frente a la autoridad arbitraria son rasgos referentes del espíritu del gaucho.

Los hombres de campaña, en particular los peones de las estancias, son descendientes directos de este tipo humano, que atávicamente asoma en su cultura y hasta en sus rasgos físicos. El trabajo ganadero, trasladando vacas y ovejas a lo largo de grandes extensiones, en muchos lugares de nuestro territorio se sigue haciendo de a caballo, con el perro como compañía y ayuda. Comúnmente, el hombre de campo porta sombrero de fieltro de ala redonda, cinto ancho de cuero sujetando un facón que lleva atravesado en la parte posterior -arma y herramienta imprescindible-, bombacha, botas de cuero y espuelas de altas rodajas que suenan como campanas al caminar. En invierno se cubre con un poncho grande de paño grueso que lleva extendido cubriendo hasta el anca del caballo y que usa de cobija cuando duerme. En verano, se troca por uno de tela fina. Estas prendas, infaltables, lo protegen del frío y del sol, a los que está expuesto por su trabajo al aire libre.

El cómodo recado con el que ensilla comprende variadas prendas de cuero vacuno y muelles cueros ovinos, jergón basto de lana que protege el lomo del caballo, cinchas de cuerda trenzada y tientos. Es montura y también cama cuando la noche lo encuentra en el camino. Riendas y cabezada del freno, lazo y bozal de cuero trenzado, fuerte cabestro de cuero crudo sujetando a un pingo de refresco; las prendas y aperos del gaucho revelan su vida de distancias e intemperies. La rudeza del entorno no es impedimento para la alegría y el espíritu festivo. En los galpones o campo afuera, en el suelo o sobre un cajón de madera se arma una partida de "truco", juego de naipes donde triunfa la picardía y el engaño del rival, que provoca festejadas pullas. La base de la alimentación de la campaña es el asado cotidiano de carne ovina, pero en las fiestas -carreras, yerras y jineteadas- se suele incluir chorizos caseros y pasteles dulces, acompañados de vino o caña.

Almost from the beginnings of the colonial era, an important part of the population of the countryside has been composed by a well-defined human type with a profile of its own, the Gaucho, issued from the mixture between Spaniards, Portuguese and Indians, and also black slaves escaped from the salteries of southern Brazil. According to tradition and even to testimonies of eminent travellers of the colonial times and later in history such as Charles Darwin, the Gaucho, that inhabited immense half-deserted territories, was a solitary and self-sufficient individual, a legendary rider, physically strong, stoic and resistant to the adversities of a frequently hostile environment and to the vicissitudes of life outdoors. Courage, hospitality, disinterest for material possessions, boldness and most of all rebelliousness against arbitrary authority are the distinctive features of the Gaucho spirit.

Men from the countryside, particularly the estancia workers (peones) descend directly from this human type that is present in their culture and even in their physical features. In many parts of our territory, rural labour -the rounding up of cattle herds from one place to another- is still done on horseback, with the dog for company and help. Usually, countryside men wear a round-brimmed felt hat, a wide leather belt with a large knife -indispensable weapon and tool- at the girdle, bombacha trousers, leather boots and spurs with wide jingling rowels. In winter, the Gaucho wears a wide and warm poncho that covers up to the horse flank, also used as a blanket at night. In summer, they change it for a lighter one made of thin cloth. These are essential garments protect him from the cold and the sun that his work outdoors exposes him to.

The comfortable saddle he fastens to his steed includes several garments of cowhide and soft sheep leather, a coarse wool blanket to protect the back of the horse, and braided girths and strapping. The daytime saddle turns into a bed when the night finds the rider outdoors. Reins and headstall, lace and braided leather bite, strong leather halter holding a fresh horse; all gaucho garments and tools that depict a weather-beaten life of long distances and wide expanses. The harshness of the environment is no hindrance for merriment and festive spirit. In barns or outdoors, on the ground or on a wooden box, there is always time for a party of 'Truco'(*), a mischievous card game whose goal is to trick the opponent, which is celebrated with loud jokes. The basic daily meal in the countryside is roasted lamb, but at parties such as rodeos, brandings and stunt ridings food usually includes homemade sausages and sweet pies, washed down with some wine or caña (**).

(*) 'Truco' (trick), trick-taking card game.
(**) Caña: sugar cane-distilled alcoholic drink.

En un alto en el trabajo, los peones descansan a la sombra recostados contra un "tubo" de madera dura donde se encierra el ganado. Puede observarse la recia estampa de los gauchos y algunos elementos típicos de su atuendo; la invernal boina de vasco que se trueca en sombrero de ala en el verano, pantalones "bombacha" de origen turco, botas de cuero o zapatillas rústicas de lona y yute más conocidas como "alpargatas" que algunos se descalzan en la pausa. Los tres hombres a la derecha usan el culero, delantal de cuero que cubre una sola pierna contra el que se afirma el lazo que sujeta al animal y que protege el cuerpo y la ropa de los roces violentos durante la tarea.

During a break at work, the cattle labourers (known in Uruguay as 'peones') rest in the shade, with their backs against a cattle alley made of hard wood where livestock is enclosed. Stout-looking gauchoes with some typical elements of their garment; the Basque's winter beret that they change in Summer for a brimmed hat, loose 'bombacha' trousers of Turkish origin, leather boots or rustic slippers of canvas and jute known as 'alpargatas' that some of them take off while resting. The three men to the right wear the 'culero', leather waist apron that covers just one leg and against which they hold the rope with the lassoed animal, and that protects the body and the clothes of the violent frets of the task.

LA MEJOR TARIFA
UNICA NACIONAL

Gaucho montado en su caballo con vestimenta y aperos característicos

Gaucho on his horse, with characteristic garments and horse gear

En las fiestas gauchas, jineteadas de potros y de vacunos, tradicionales proezas arriesgadas, exhibición de coraje y destreza

During the gaucho parties, bronc and bull ridings -traditionally dangerous feats- are an exhibition of skill and courage

# TURISMO RURAL Y ECOLOGICO

## RURAL AND ECOLOGICAL TOURISM

Una actividad de creciente importancia es el turismo ecológico o de naturaleza, que apunta a valorizar la belleza de los espacios y la calidad del ambiente puro, sin contaminación, dos cualidades que caracterizan al paisaje uruguayo. Se han instaurado políticas de resguardo ambiental, que incluyen la delimitación de áreas naturales protegidas buscando preservar lugares y ecosistemas de particular interés sin coartar, necesariamente, la producción que allí se desarrolle. Más allá de esas zonas, prácticamente todo el territorio tiene rasgos de naturaleza intocada y es posible combinar distintos enfoques atractivos desde el punto de vista turístico y productivo.

Tal vez el más original es el turismo rural o de estancia, en el que visitantes de la ciudad o del exterior se hospedan en los establecimientos para experimentar por unos días la vida del campo. Para los establecimientos -y para la comunidad del entorno- se trata de un recurso que complementa los ingresos provenientes de la explotación ganadera, y para los turistas se convierte en una opción diferente, en contacto con la naturaleza y con actividades poco habituales en la vida moderna. Las cabalgatas en los bosques -bajo el cuidado y la guía de los trabajadores del lugar- despiertan en los niños la curiosidad y el encanto y fomentan, en chicos y grandes, el respeto por la naturaleza. Los turistas participan, al menos como observadores, de los trabajos ganaderos, que implican arreos y manejo en los corrales de grandes cantidades de vacunos y ovinos. Los visitantes y sus guías recorren a caballo o en carro los extensos predios, acampan junto a los fogones en los montes ribereños a los ríos ricos en pesca, con la compañía de pájaros y aves de infinita variedad, e incluso, en algún momento, pueden avistar algún ejemplar de la fauna nativa como carpinchos, nutrias, liebres, mulitas (armadillos), hurones, comadrejas, zorros y gatos monteses.

En general, la fauna autóctona está protegida y su caza está estrictamente controlada. En los descansos, los turistas disfrutan de la sabrosa gastronomía criolla, aprecian los magníficos cielos de esta región del mundo y se solazan con las noches estrelladas del hemisferio Sur.

An increasingly important activity is the ecological or nature tourism, which aims at valuing the beauty and the quality of a pure environment, without pollution, both features that characterise the Uruguayan landscape. Policies have been enforced for environmental care, which include the delimiting of protected natural areas, thus seeking to preserve places and ecosystems of particular interest without necessarily limiting the production therein developed. Apart from these areas, practically the whole territory has features of untouched nature and it is possible to combine different attractive approaches from the tourist and productive viewpoints.

Maybe the most original one is rural tourism where visitors coming from cities or from abroad lodge at estancias (ranch farms) in order to experience, for a few days, what country life is like. For those who work and live in these estancias -and nearby populations- this sort of tourism means a financial resource that complements their income from cattle exploitation. For tourists this is a different option that allows them to be in close contact with nature and to develop activities hardly practised in modern daily life. The horse rides through the woods -under the guide and supervision of local workers- wake the curiosity, captivate the children, and arouse the respect for nature, both of little ones and elders. Tourists take part -at least as observers- in rural labours, which involve the management of large numbers of beef cattle and sheep in corrals. The visitors and their guides cross on horseback or on wagons the extensive lands. They camp by a fire on the woody banks of rivers rich in fish, surrounded by an infinite variety of birds, and even, they can occasionally get sight of some specimens of the native fauna such as capybaras, otters, hares, armadillos, ferrets, weasels, foxes and wildcats.

In general, the autochthonous fauna is protected and hunting is strictly controlled. During rest time, tourists savour the tasty Creole gastronomy, they enjoy the beautiful skies of this region of the world and they are delighted with the starry nights of the Southern Hemisphere.

# PLAN CEIBAL:
# UN NIÑO, UNA COMPUTADORA

## CEIBAL PLAN: ONE LAPTOP PER CHILD

Uruguay ha sido pionero en el mundo en la implementación integral de un programa que otorga gratuitamente a cada escolar de la educación pública una computadora personal XO,en la línea propuesta por Nicholas Negroponte -del MIT Media Lab- y conocido como OLPC (Una Computadora por Niño, por su sigla en inglés), que ha merecido entusiastas reconocimientos internacionales. El Plan Ceibal refiere a un conjunto del típico árbol nativo, el ceibo, pero también responde a una sigla: Conectividad Educativa de Informática Básica para el Aprendizaje en Línea.

El Plan apunta a acercar las tecnologías más avanzadas a la sociedad uruguaya como un instrumento democratizador del acceso a la información y al conocimiento. Cumplidos los primeros años de funcionamiento, el programa lleva distribuidas computadoras a la totalidad del padrón que comprende a más de 360.000 niños y 16.000 educadores. Como cada año ingresan nuevos niños, y el plan se extiende a la educación secundaria, ya se distribuyeron 575.000 ordenadores. Si bien el plan está dirigido a la enseñanza pública, tiene también beneficios para la enseñanza privada. El Estado cubre todos los costos: la computadora, la conexión a Internet, el mantenimiento y las reparaciones básicas.

Este sistema ya ha generado un formidable impacto en varios aspectos: ha ayudado a reducir drásticamente el ausentismo escolar, ha contribuido a mejorar la lectura y ha estrechado los vínculos de interacción de los niños con sus padres y educadores, quienes también aprenden junto a ellos. “Cambió la pedagogía y la didáctica con la cual los maestros dan las clases y, en forma trascendental, toda la vida de la escuela”, resume una jerarca de la educación. El Plan coloca al país a la vanguardia mundial en lo referente a conectividad, ya que implica el acceso a Internet no sólo en las escuelas a lo largo y ancho de todo el territorio, sino también en los hogares, lo que facilita el intercambio entre los distintos actores y organismos de la sociedad. Más allá de las virtudes del Plan, lo más conmovedor es el entusiasmo desbordante de los niños, muchas veces de ámbitos aislados o desfavorecidos, que aprenden y disfrutan con este novedoso contacto con el mundo.

Uruguay is a world pioneer in the carrying out of a global program that provides every student with one personal XO computer, following the line proposed by Nicholas Negroponte -of MIT Media Lab. Said program is known as OLPC -One Laptop Per Child- and has earned well deserved international appraisal. The name ‘Ceibal’, makes direct reference to a group of specimens of the national tree ceibo (*), but it is also an acronym, CEIBAL, that stands for Conectividad Educativa de Informática Básica para el Aprendizaje en Línea (Basic informatic Educative Connectivity for on-line Learning).

The plan aims at making the Uruguayan society familiar with the most advanced technologies, as an instrument that democratises the access to information and knowledge. Already implemented for a few years now, the Plan has given away computers to all the enrolled students, which amounts to over 360,000 children and 16,000 teachers. As every year new children enter primary education -and the plan includes secondary education-, the plan has already distributed 575,000 computers. Even though it is mainly intended for state education, also private education is being benefited from it. The State covers all costs; the computer itself, the Internet connection, maintenance and basic service.

This system has already caused a formidable impact at several levels; it has helped reduce drastically school absenteeism, has improved reading and has also strengthened interaction between children and parents and educators, who also learn together with kids. ‘It has changed the pedagogy and the didactics that educators used for teaching, as well as the whole school life in a remarkable way’, summarises an authority. The Plan has placed the country at the world top line as regards connectivity since it implies access to Internet not only for schools of the whole country but also at homes, all of which facilitates the exchange among the different actors and bodies of society. Beyond the obvious virtues of the Plan, what is most touching is the overflowing enthusiasm of children, often from isolated or disadvantaged areas, which learn and have a good time with this new way of getting in contact with the world.

(*) Ceibo: Cockspur Coral Tree.

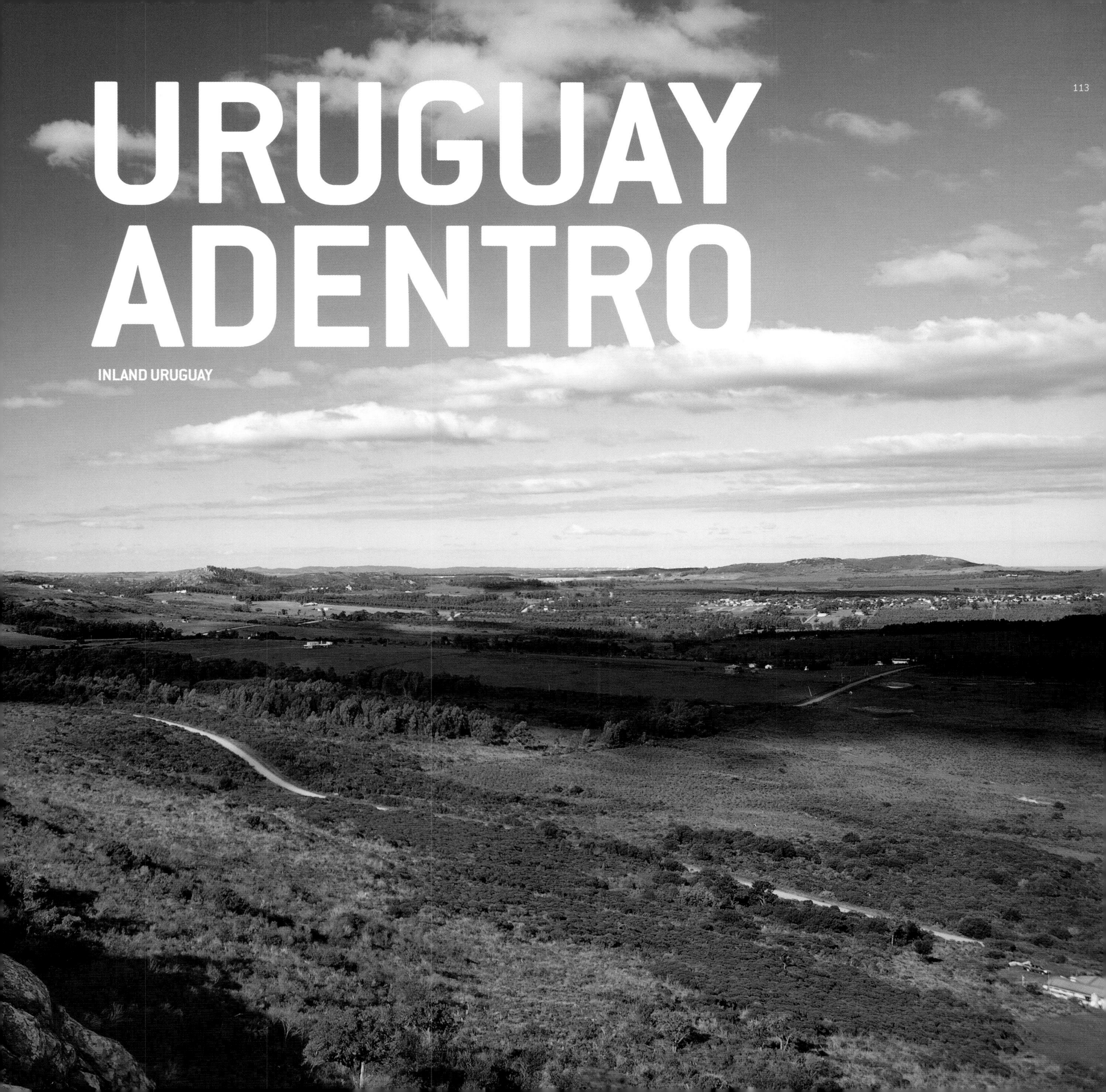

# URUGUAY ADENTRO

## INLAND URUGUAY

El territorio del país es enteramente transitable en todas direcciones, sin que exista ningún rincón inaccesible. No hay montañas, ni selvas, ni grandes pantanos, ni desiertos, lo que permite llegar a cualquier localidad sin mayores dificultades, disfrutando en el recorrido de un paisaje amigable y variado. Buenas carreteras y caminos secundarios que las cruzan en todas direcciones, puestos de abastecimiento y de auxilio a intervalos cercanos, conectividad celular integral, son elementos que favorecen el tránsito comercial y turístico seguro en todo momento.

Tierra adentro, en los caminos y rutas de campaña, el viajero atraviesa largos valles pintados de verde, salpicados con montes y cultivos, cruza puentes antiguos o modernos sobre ríos caudalosos o mansos arroyos de riberas arboladas, o trepa sin esfuerzo por caminos ondulados de la sierra, en los que se cruza con jinetes solitarios, o con troperos arriando vacas u ovejas; escenas tranquilas y de pintorescos entornos. El paisaje generalmente ofrece a la vista un horizonte despejado, ocasionalmente interrumpido por cadenas de elevaciones o por cerros aislados coronados de piedra que dominan desde lo alto las vastas planicies donde pastorean los animales. Una mirada más atenta puede descubrir elementos productivos de avanzada, a veces encubiertos en los campos aparentemente vacíos, como se muestran en los sistemas de producción extensivos. No obstante, los verdes intensos de los cultivos forrajeros, los fardos de heno recién cosechados desparramados en chacras, los alambrados prolijos y porteras nuevas de madera dura, cuidada caminería interna de los establecimientos, montes de sombra y de abrigo, son indicios de una ganadería de buena productividad y en crecimiento.

Los pueblos y pequeñas ciudades de la campaña mantienen el aire antiguo y sereno del pasado, con una belleza no exenta de melancolía, aunque a veces iluminada por chispas inesperadas de modernidad. Su estilo de vida conserva virtudes añejas de seguridad y hospitalidad: sueño tranquilo en la noche con las puertas abiertas, puertas abiertas noche y día para recibir al visitante.

Tradicionalmente, los pueblos aislados tenían cierta autonomía y vida propia, pero en las últimas décadas, con la mejora en la caminería y en las comunicaciones en general, aquéllos perdieron importancia como centros de aprovisionamiento y su población disminuyó, en particular por la emigración de los jóvenes. No fue hasta ahora, en los últimos años, que con la llegada de nueva maquinaria en el dinámico proceso de expansión agrícola y forestal, así como con la modernización de la ganadería con su requerimiento de nuevos servicios y apoyos para sus operarios, los pueblos vuelven a la vida, ahora desde una perspectiva de mayor riqueza y más sólida prosperidad.

The territory of the country can be fully travelled in all directions, and there are no inaccessible corners. There are neither mountains, nor jungles, or big marshes, or deserts, which allows the transit to any place without major difficulties while enjoying a friendly and varied scenery. Good roads -with secondary ways crossing them in all directions-, aid and supply posts at short intervals and full mobile coverage are elements that allow a safe commercial and tourist traffic at all times.

Deep inland, in the roads and routes of the countryside the traveller crosses wide green valleys splashed with forests and crops, crosses ancient or modern bridges across stormy rivers or tame creeks with wooded banks, or treads effortlessly wavy paths uphill, where they encounter solitary riders or cattle drivers herding cows or sheep; calm scenes in picturesque environments. The landscape usually offers a clear horizon occasionally interrupted by hill chains or by isolated hills tipped with stones towering the vast plains where cattle graze. A closer look may reveal advanced productive elements, sometimes concealed in the seemingly empty fields of the extensive production systems. However, the intense green of fodder crops, the bales of hay newly harvested spread in farms, the tidy wire fences and newly made rail gates of hard wood, alleys within establishments, shading and sheltering woods are all indicators of an increasing farming productivity.

The towns and small cities of the countryside keep their ancient and serene air of the past, with a beauty not exempt of melancholy, yet with unexpected sparks of modernity sometimes. Lifestyle there preserves ancient features of safety and hospitality; a peaceful sleep at night with doors ajar, doors that are always open to greet the newcomer.

Traditionally, the isolated villages had a certain autonomy and a life on their own, but in the last decades, with the improvement of highways -and of communications in general-, those towns have lost importance as supplying centres and their populations have seen a decrease, particularly due to the emigration of youngsters to larger cities. It was not until lately that with the arrival of new machinery in the dynamic agricultural and forest expansion -as well as with the modernisation of farming activities with their requirement of new services for workers- the villages are coming back to life, now from a wealthier perspective of more solid prosperity.

ADUANA
GARZON
MAB 8054

UNION CRISTIANA DE JOVENES

Caminos de Uruguay Ways of Uruguay

# LAS SIERRAS

## HIGHLANDS

La topografía predominante en el territorio uruguayo es más bien plana y con suaves ondulaciones y la altura del cerro más elevado apenas supera los 500 metros sobre el nivel del mar. Sin embargo, en todos los departamentos hay elevaciones que aportan diversidad y belleza al paisaje. A unos 120 kilómetros de Montevideo, en el departamento de Lavalleja y como ejemplo más notorio se halla una cadena de serranías, puntos muy atractivos que convocan al turismo afecto a estos entornos. En particular cabe mencionar Villa Serrana, centro turístico ubicado en esas sierras, donde el reconocido arquitecto Julio Vilamajó realizó numerosas construcciones, hoy referenciales, utilizando básicamente elementos del lugar como piedra, madera, paja y barro. Sus cabañas y paradores, con hermosas vistas del lugar, trepan por la falda del cerro en perfecta armonía con el paisaje.

No muy lejos se encuentra el Cerro del Penitente, que cuenta con un parador panorámico enclavado en la cumbre desde el que se observa, hacia abajo, el salto de agua que abre la roca granítica con su milenaria fuerza cristalina. Allí se pueden realizar paseos, a pie o a caballo, recorriendo sitios panorámicos desde donde se contemplan los espléndidos valles. Aquí y allá, el viajero se encuentra con manantiales de agua mineral, arroyuelos torrentosos de aguas cristalinas que bajan por las laderas y piscinas naturales entre las rocas, bordeadas de vegetación nativa; fresca sombra para el descanso.

Los más aguerridos pueden intentar el escalamiento o practicar rappel y canopy, colgando de cables a 60 metros de altura, atravesando la quebrada por lo alto en un recorrido de 180 metros, o bien bajando o ascendiendo con ayuda de arneses especiales por las paredes verticales de piedra. Estas mismas variantes de deporte aventura, además del vuelo con parapente, pueden realizarse en otro cerro de Maldonado, el Pan de Azúcar.

Los visitantes más reposados disponen de cómodos alojamientos donde pernoctar o simplemente hacer una pausa y aprovechar las excelentes ofertas gastronómicas de los paradores del lugar. Una actividad muy apreciada es la observación de aves. A tales efectos se han acondicionado puntos estratégicos que permiten lograr una cercanía con las aves sin perturbar su tranquilidad. El Valle del Lunarejo en el departamento de Rivera, a 500 km de la capital, es otro ejemplo de contacto íntimo con la naturaleza de sierras con comodidades y servicios disponibles al viajero. En general, las serranías de otras localidades no cuentan con infraestructura ni servicios para el visitante: son sitios agrestes, intocados, con su flora y fauna original.

The Uruguayan landscape is mostly flat with soft rolling hills, the highest one being scarcely over 500 mt above sea level. Yet, in every department, here and there, there are elevations that add diversity and beauty to the scenery. Approximately 120 km from Montevideo, the department of Lavalleja offers an outstanding hill chain -very attractive site for those seeking this sort of landscape. Villa Serrana is worth mentioning; a tourist centre located precisely amidst those hills where the renowned Uruguayan architect Julio Vilamajó raised different constructions -architectonic hallmarks nowadays- using basically natural elements such as stone, wood, straw and mud. Cabins and inns with a beautiful view of the entourage climb uphill in perfect harmony with the landscape.

Not far is the Cerro del Penitente. Atop sits a panoramic inn overlooking the Penitente waterfall opening its way through the granite rock with millenary crystalline force. This is a great place for walks or horse riding across panoramic sites with beautiful views of the spreading valleys below. Here and there, there are natural springs of mineral water, stormy creeks of crystalline waters running downhill or natural pools among rocks bordered by native vegetation, all of which offers a fresh shade for a halt.

More seasoned travellers can try climbing, canopying or rappelling (also known as abseiling), descending down a cable hanging 60 mt above the ground, crossing a ravine along a 180 meter-long flight, or climbing and descending along the vertical stony slopes. Such activities -besides paragliding- can also be carried out at Cerro Pan de Azúcar, another important hill in the department of Maldonado.

For visitors seeking quieter options there are several inns -rustic yet comfortable- where to stay overnight or simply rest for a while and enjoy the excellent local gastronomy. Bird watching is another interesting activity and strategic outlooks have been raised for visitors to observe birds close enough without disturbing them. The Valle del Lunarejo, in Rivera, 500 km from Montevideo, is a valley where to enjoy a close contact with nature, with facilities and services available for travellers. In general, other hill zones of the country lack infrastructure and services for visitors, for they are untouched rural sites with their own original flora and fauna.

# SISTEMA NACIONAL DE AREAS PROTEGIDAS

## NATIONAL SYSTEM OF PROTECTED AREAS

Uruguay está implementando un Sistema Nacional de Áreas Protegidas (SNAP), una herramienta que permite armonizar el cuidado del ambiente, en particular de la diversidad biológica, con el desarrollo económico y social del país. Se han establecido hasta el momento varias áreas protegidas representativas de los distintos ambientes naturales y ecosistemas en distintos puntos del territorio nacional: quebradas, valles entre cerros, montes nativos ribereños, costas, islas y zonas marinas, bañados, humedales y lagunas, de variada topografía, fauna y flora singular.

En nuestro territorio se observan cerca de 500 especies de aves, muchas de ellas migratorias, otras residentes, algunas de cuantiosa cantidad, otras en peligro de extinción. Otro tanto ocurre con las especies de la fauna silvestre, como el gato montés, el carpincho, la ballena Franca Austral, las tortugas verdes o el venado de campo. Hay más de 150 especies de mamíferos y mismo número para anfibios y reptiles. La flora del Uruguay cuenta con aproximadamente 2500 especies, distribuidas en 150 familias ya sean nativas o foráneas.

Las áreas protegidas contribuyen a la conservación del patrimonio natural y cultural del país y ayudan a reducir las presiones causadas por actividades humanas sobre estos ambientes. En ellas el impacto se reduce a la mínima expresión y, por tanto, se transforman en sitios de referencia en los cuales pueden apreciarse los beneficios de la protección. A su vez, generan oportunidades para las comunidades locales y la sociedad tales como la recreación, el turismo, la educación, la investigación, el desarrollo de actividades productivas compatibles con la conservación, así como el mantenimiento de tradiciones y culturas locales que fortalecen nuestra identidad.

Actualmente son 16 las áreas que entran dentro de este sistema: Quebrada de los Cuervos, Esteros de Farrapos e islas del río Uruguay, Valle del Lunarejo, Cabo Polonio, Chamangá, Laguna de Rocha, Laureles-Cañas, Humedales del Santa Lucía, Isla de Flores, Cerro Verde, Laguna Negra, Laguna de Castillos, Bosques del río Negro, Montes del Queguay, San Miguel y Rincón de Franquía.

Uruguay is implementing a National System of Protected Areas (SNAP – Sistema Nacional de Áreas Protegidas), which harmonises environmental care -especially of biological diversity- with social and economic development. Several protected areas have been established up to this date representing different natural environments and ecosystems throughout the whole country: ravines, valleys amidst hills, riverbank woods, shores, islands and maritime areas, swamps, wetlands and lagoons, each with its particular topography, fauna and flora.

About 500 bird species -migratory and non-migratory- can be observed in our territory. Some species abound, while others are threatened, just as with species of wild fauna like the wildcat, the capybara, the Franca Austral whale, the green turtles or the Pampas deer. There are over 150 mammal, amphibian and reptile species. Uruguayan natural flora has about 2500 species scattered through 150 families either native or foreign.

The protected areas contribute to preserve our natural and cultural heritage and to reduce -to a minimum- the impact of human activities on such environments. These sites have then become hallmarks as regards nature protection. They also help create resources and opportunities for local communities and for the whole society in fields such as leisure and recreation, tourism, education, research, development of environmental-friendly productive activities and maintenance of local traditions and culture.

Nowadays, 16 areas are part of this system: Quebrada de los Cuervos, Esteros de Farrapos and the isles of the Río Uruguay, Valle del Lunarejo, Cabo Polonio, Chamangá, Laguna de Rocha, Laureles-Cañas, Humedales del Santa Lucía, Isla de Flores, Cerro Verde, Lagunas Negra and de Castillos, Bosques del Río Negro, Montes del Queguay, San Miguel and Rincón de Franquía.

Quebrada de los Cuervos fue la primera localidad en recibir la categoría de Área Natural Protegida. La garganta boscosa entre los cerros ambienta un microclima húmedo y protegido de los vientos, albergue de biotipos animales y vegetales subtropicales poco frecuentes en el país.

Quebrada de los Cuervos (Crows' Ravine) was the first location to be declared Natural Protected Area. This wooded gorge through the hills with its humid microclimate protected from the winds shelters unique subtropical biotypes of flora and fauna, otherwise rarely present in the country.

# LA COSTA

## THE COAST

El Uruguay se baña por el sur en las aguas casi marinas del Río de la Plata, que se mezclan con las más bravas del océano Atlántico, a lo largo de más de 600 kilómetros de costas de variado paisaje. Se considera que el Río de la Plata nace a la altura de la ciudad de Colonia y llega hasta Punta del Este; desde este punto hasta la frontera con Brasil son aguas del océano Atlántico.

Las principales ciudades-balneario y centros de veraneo de variado perfil y nivel de sofisticación se alinean entre Montevideo y la frontera con el vecino país del norte, a unos 350 kilómetros. Los más conocidos y de mayor desarrollo urbano son Atlántida, Piriápolis -ambos ubicados sobre el Río de la Plata pero con fuerte influencia oceánica en sus aguas-, Punta del Este y La Paloma sobre el Atlántico. Pero existen muchos más, tanto en la denominada Costa de Oro de Canelones como en los departamentos de Maldonado y Rocha, cada uno con sus atractivos peculiares.

La costa convoca al turismo de sol y playa: de los tres millones de visitantes que recibe anualmente el país, las tres cuartas partes buscan esta opción para sus vacaciones. Casi todas las playas miran al sur y al oeste; en verano, cuando el sol se va ocultando en el mar, pinta el cielo y el agua de diferentes colores, maravilla cotidiana para disfrute general. Mares serenos y mares turbulentos alternan frecuentemente en las costas uruguayas, a veces separados apenas por una mera saliente rocosa que frena el viento predominante del este.

Las playas multitudinarias, bullentes de vida, muestran un paisaje animado y colorido. Mansas sombrillas familiares, niños que construyen castillos de arena, abuelos a la sombra, jóvenes que caminan por la orilla o se zambullen vigorosamente en las aguas frescas conforman las apacibles escenas de verano. A otro ritmo actúan los deportistas del mar; las principales ciudades-balneario son sede de competencias náuticas locales e internacionales: desde regatas de pequeñas naves juveniles hasta embarcaciones profesionales de velas majestuosas contrastan sus colores con el azul profundo del mar. Velas de surf, de windsurf, parapentes, kayaks, lanchas y motos acuáticas serpentean cerca de la costa dejando efímeras estelas en el mar.

La abundancia de peces alienta la pesca deportiva. Casi siempre se logran piezas interesantes de distintas especies, y como mínimo se pesca lo suficiente como para proveer la cena festiva del equipo y sus amistades.

La imagen muestra la playa Mansa de Atlántida, una de las tranquilas playas que ambientan el sereno entorno familiar que la caracteriza. De casas solariegas, amplios jardines arbolados y edificios bajos de estilo *art déco*, Atlántida está situada a escasos 45 kilómetros de la capital y es la principal ciudad-balneario de la Costa de Oro.

The almost maritime waters of the River Plate bathe the Uruguayan shores from the S. Such waters are mixed with the wilder ones from the Atlantic Ocean, along more than 600 kilometres of coasts of varied landscapes. The River Plate is born by the city of Colonia and flows up to Punta del Este where it meets the Atlantic Ocean. From there up to the border with Brazil, the Uruguayan coasts are bathed by the ocean.

The main cities and the most important centres of summer vacation -of varied profile and level of sophistication- line up between Montevideo and the border with Brazil, approximately 350 km to the E. The most renowned and developed resorts are Atlántida, Piriápolis -both located on a River Plate already strongly mingled with oceanic waters-, and Punta del Este and La Paloma -already by the ocean. But there are many other resorts by the so called 'Costa de Oro de Canelones' -Golden Coast of the department of Canelones-, as well as along the coasts of the departments of Maldonado and Rocha; each seaside resort with its particular attractions.

The coasts of Uruguay attract summer tourism; from the three million visitors that enter the country annually, three fourths seek the coasts for their vacations. Almost all the beaches look S and W and in summer at sunset, the sinking sun colours sky and water alike with different shades, a daily marvel for everyone to enjoy. Serene and turbulent seas frequently alternate along the Uruguayan coasts, sometimes a few meters from one another, just separated by a rocky tip that slows down the eastern oceanic wind.

The multitudinous beaches, bustling with life, are a lively and colourful landscape. Quiet family beach parasols, children building sandcastles, grandparents resting in the shade or youngsters strolling along the shore or plunging playfully into the cool water shape the pleasant summer scenes. Yet to another pace can we find sea sportspeople. The main tourist centres are seat of both local and international nautical competitions. The colours of regattas of small juvenile boats or of imposing professional vessels that deploy majestic sails offer a sharp contrast against the deep blue sea. Surf and windsurf boards, paragliders, kayaks, motorboats and jet skis snake near the coast leaving ephemeral trails on the surface of the sea.

The abundance of fish encourages sports fishing. Most often the catch brings ashore interesting specimens of different species or at least lesser fish just for the team and friends to dine festively.

The picture shows the Mansa Beach of seaside resort Atlántida, one of the tranquil beaches of the serene and familiar landscape the place is well known for. With its summer houses, vast wooded gardens and low *art déco* buildings Atlántida -only 45 km from Montevideo- is the main seaside resort of the Costa de Oro.

# PIRIAPOLIS

La ciudad balneario de Piriápolis lleva el nombre de su fundador, el pionero Francisco Piria, que en las primeras décadas del siglo XX desarrolló la zona, construyó varias de las principales referencias edilicias, y diseñó la hermosa infraestructura del lugar. Hoy Piriápolis es una pequeña y coqueta ciudad, que cuenta con hermosas playas y una amplia oferta hotelera, gastronómica y de entretenimiento. La foto descubre una vista panorámica de la bahía y de la ciudad al atardecer, con el Cerro de San Antonio y su ermita-mirador en primer plano.

Las aguas serenas y verdes de la bahía, las puntas y pedregales cercanos, la cadena de elevaciones que las circundan, conforman un conjunto de peculiar encanto. Puede apreciarse el muelle que cierra el puerto pesquero y de yates, en pleno proceso de crecimiento. En la falda del vecino Cerro Pan de Azúcar se localiza una reserva y cría de fauna nativa, donde se encuentran y reproducen, en estado protegido, ejemplares de especies que están extinguidas en el resto del país.

The city and resort of Piriápolis was named after its founder, the pioneer Francisco Piria that during the first decades of the twentieth century undertook the development of this area, constructed several of the landmark buildings of the country and outlined the beautiful local infrastructure. Today Piriápolis is a small and coquettish city, with beautiful beaches and a wide offer in accomodation, gastronomy and entertainment. The picture displays a panoramic view of the bay and the city at dusk, with the Cerro de San Antonio (Hill of San Antonio) and its lookout and hermitage on top. The serene and green waters of the bay, the rocky spits, the stony areas and the surrounding hillchain shape a particularly charming landscape. The image also shows the wharf that encloses the fishing and yachting port in full growth. In the skirts of the nearby hill 'Cerro Pan de Azúcar' there is a native-fauna reserve where live and breed protected specimens that are extinguished in the rest of the country.

# PUNTA DEL ESTE

Sobre la costa, a 130 kilómetros al este de la capital se encuentra Punta del Este, la principal y más conocida ciudad balnearia del Uruguay y una de las más famosas de Sudamérica. La ciudad se fue formando a lo largo del siglo XX a partir de un caserío de pescadores y cazadores de lobos marinos y ballenas ubicado en el extremo de la península, sinuosa faja de tierra erizada de rocas y caletas que hiende el mar en dirección sur. Aquí se marca el fin del Río de la Plata, de mansas aguas protegidas de los vientos del este por la península, y el comienzo del océano Atlántico, bravío y agitado por esos mismos vientos.

Actualmente, la ciudad se despliega a uno y otro lado de la península, con una imponente infraestructura caracterizada por la calidad y el buen gusto de las construcciones y de su entorno. Allí alternan edificios de altura con barrios de mansiones rodeadas de parques; arquitectura lujosa o rústica, clásica o innovadora; audaz, siempre elegante y confortable. A Punta del Este, principalmente en la temporada veraniega, arriban visitantes de todo el planeta, en particular del Cono Sur -argentinos, brasileños, paraguayos y chilenos-, aunque se evidencia una creciente afluencia de norteamericanos y europeos. Centro de esparcimiento y de la moda, del turismo más sofisticado de la región y del mundo, es a la vez un referente cultural donde se desarrollan actividades artísticas de todo tipo. Los desfiles de reconocidas marcas internacionales y certámenes de belleza alternan con destacadas muestras de artes plásticas y conferencias; los espectáculos de café concert con el teatro más distinguido y festivales de cine; las funciones de música clásica con sutiles conciertos de jazz, fiestas electrónicas y recitales de rock.

También tienen lugar numerosos eventos y torneos deportivos, tanto de mar como de tierra: regatas, campeonatos de surf, torneos de tenis, golf, polo, rugby y fútbol, maratones, competencias de automovilismo y más. Son ejemplos notables de la diversidad y belleza natural de la zona que se puede disfrutar todo el año las espectaculares playas, los hermosos paisajes como los de Punta Ballena y sus horizontes panorámicos, la Laguna del Sauce de agua dulce bordeada de pintorescas lomas, la Isla Gorriti -arbolada y con playas profundas protegidas del viento-, o la agreste Isla de Lobos donde se encuentra la colonia más numerosa de lobos marinos del mundo. En su puerto y en la tranquila bahía de la Playa Mansa recalan indistintamente gigantescos cruceros de todas partes del mundo, yates fastuosos y pequeños barcos de pesca artesanal que abastecen de pescado fresco y mariscos de calidad a los exigentes consumidores.

Along the coast, 130 km from Montevideo to the E is Punta del Este, the main and most renowned seaside resort in Uruguay and one of the most famous in South America. During the twentieth century, that small village of whale and sea lion hunters and fishermen by the end of the peninsula -a sinuous strip of land bristled with rocks and coves that sticks southwards into the sea- grew and expanded giving origin to the city it is today. Here ends the Río de la Plata; its calm waters sheltered from the eastern winds by the peninsula, and begins the windswept Atlantic Ocean.

Nowadays, the city stretches to either side of the peninsula, with an impressive infrastructure of high-end and refined constructions with their matching surroundings. There alternate tall buildings with lordly neighbourhoods of low constructions surrounded by parks; a display of classic and modern architecture, of luxurious or rustic style; bold yet always elegant and comfortable. During high season mostly, Punta del Este attracts visitors from everywhere in the world, especially from the Southern Cone of South America -Argentinians, Brazilians, Paraguayans and Chileans-, although the number of tourists from North America and Europe is also growing. Leisure spot and fashion centre of the most sophisticated regional and worldwide tourism; it is also referential from the cultural viewpoint and all kinds of artistic activities take place here. Fashion parades of renowned international brands and beauty contests alternate with important art exhibitions and conferences; café concert shows, with the most distinguished theatre productions and cinema festivals; classical music concerts, with jazz and rock concerts and electronic parties.

The city also hosts numerous sport events and competitions, both at sea and on land; regattas, surf, tennis, golf, polo competitions, rugby and football matches, marathons, car races and more. The area's remarkable samples of diversity and natural beauty can be enjoyed all the year round; the spectacular beaches, the beautiful sceneries like those of Punta Ballena and its panoramic landscapes, the Laguna del Sauce of fresh water bordered by picturesque hills, the wooded Isla Gorriti with its sheltered beaches or the rough Isla de Lobos where lives the largest sea-lion colony in the world. At the harbour and the tranquil bay of the Playa Mansa arrive indistinctively huge cruise ships from all over the world, magnificent yachts and the small vessels of fishermen, which bring ashore fresh fish and seafood for their demanding consumers.

En este punto de particular encanto, donde se mezclan las aguas del Río de la Plata con las del océano Atlántico, la silueta arbolada de la Isla Gorriti se funde con las altas torres de la península.

At this charming spot where the waters of the River Plate meet those of the Atlantic Ocean, the wooded outline of the Gorriti Island blends with the silhouette of the tall skyscrapers of the Peninsula.

WDS 046

Las tiendas de las principales marcas de artículos suntuarios, hoteles, restaurantes y pubs de primer nivel dan cuenta de la presencia de un público refinado y exigente.

Shops and stores of the most important brands of luxury goods, top hotels, restaurants and pubs evidence the presence of refined and exigent visitors.

FENDI

1992

# LA BARRA Y JOSE IGNACIO

Al este del arroyo Maldonado, luego de atravesar el famoso puente ondulado obra del ingeniero Leonel Viera se encuentra el placentero balneario La Barra. Hace más de medio siglo ese pueblito comenzaba a recibir veraneantes de la cercana ciudad de San Carlos. Desde entonces ha venido creciendo ininterrumpidamente hasta convertirse al día de hoy en un polo de singular atracción, un centro de diseño muy vital con *atéliers* que marcan tendencias a nivel mundial, con una original arquitectura y con variados espacios de esparcimiento en un entorno natural absolutamente privilegiado.

En la avenida principal se concentran decenas de anticuarios y talleres de artistas dispuestos a conversar con los visitantes y a mostrar sus obras, especialmente durante las ya tradicionales Gallery Nights, jornadas de recorrida nocturna por cada uno de estos espacios.
El estilo distendido de La Barra, donde se puede caminar de sandalias playeras a cualquier hora del día o de la noche y donde todo está permitido genera un ambiente ideal para que los jóvenes invadan y se apropien de cada rincón generando una alegre energía que se trasmite ni bien se cruza el puente ondulado.

Continuando el viaje hacia el este, luego de pasar las hermosas playas de Montoya y Manantiales, a unos 30 kilómetros de La Barra se encuentra el exclusivo balneario José Ignacio, un lugar donde se dice que lo único que corre es el viento.

El delicado entorno natural, custodiado por la presencia protectora del faro, más el impulso de una propuesta de estilo informal donde se mezclan refinamiento, arte y una solución artesanal de las necesidades, convocaron desde los comienzos a los visitantes más variados y exigentes a disfrutar de una propuesta glamorosa y única.
El pequeño casco del pueblo, con ofertas gastronómicas de primer orden, junto a los nuevos espacios generados por las chacras marítimas transformaron la zona en un espacio del buen vivir, con una propuesta arquitectónica moderna, y ya son varios los arquitectos célebres que han puesto su firma en construcciones que allí se levantan.

Vista aérea del balneario José Ignacio
Aerial view of José Ignacio resort

PREFECTURA
Mansa

parador
la huella
faro josé ignacio
POLICIA

arbol
propiedades

LA POSADA DEL FARO
TAKKAI
patricia miccio
Los Locales
Alejandro Perazzo
Inmobiliaria
mutate

GALERIA
LOS CARACOLES
Nana Lavagna
PROPIEDADES
el CaNuto
Carmen Garrido
erson
beach
casasuaya

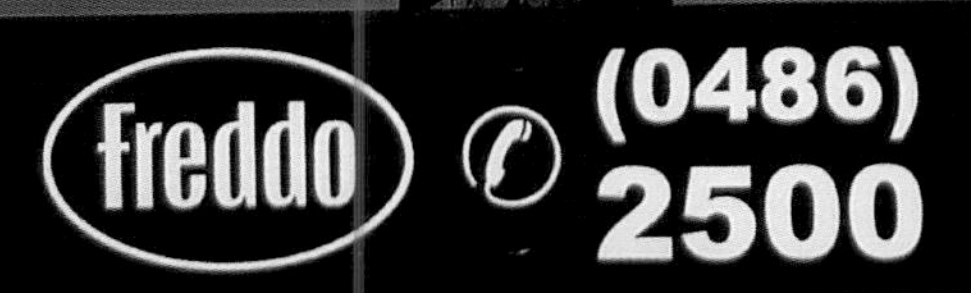
freddo
(0486)
2500

Sentido

RIVER TRUCK
LA CELE
STAR LINE
B 536 298

La tropa de ganado cruza la barra de arena que cierra la desembocadura de la laguna de José Ignacio en el océano Atlántico.

A cattle herd crosses the sandy bar that closes the river mouth of the Laguna José Ignacio into the Atlantic Ocean.

# LA PALOMA Y LA PEDRERA

Entre Punta del Este y la frontera con Brasil, a lo largo de 220 kilómetros de costas oceánicas se encuentran hermosos balnearios oceánicos de distinto tamaño. Entre ellos se destaca, por la belleza del entorno, su desarrollo urbano y su importancia económica, el balneario y puerto de La Paloma, situado en el departamento de Rocha, a unos 230 kilómetros de Montevideo.

A partir de la construcción del faro, ubicado en el extremo sur de esta costa se formó el centro urbano, una pequeña y encantadora ciudad de casas blancas con techos de teja y jardines, que fue expandiéndose a lo largo de la costa en ambos sentidos. En verano el balneario recibe miles de turistas. Distintas actividades recreativas y culturales convocan a visitantes de los más diversos lugares, pero la principal atracción para todos la constituyen las anchas playas de arenas blancas que parecen perderse en el infinito.

El puerto de óptimas condiciones naturales brinda servicio a los yates y veleros que recalan en estas costas. Además de la pesca de altura que se lleva a cabo con barcos de mediano porte, se realiza una activa pesca artesanal con pequeñas embarcaciones que proveen diariamente de pescado fresco a turistas y lugareños que suelen adquirirlo allí mismo, donde arriban las lanchas con la pesca del día.

En invierno y a inicios de la primavera arriba a toda esta faja de costas oceánicas la ballena Franca Austral, que constituye un espectáculo aparte y cuya protección recibe en La Paloma una atención preferente.

A pocos kilómetros hacia el este se encuentra La Pedrera, un balneario de rasgos peculiares construido en la cima de un alto y rocoso peñasco. Este exclusivo y pequeño balneario cuenta con una excelente infraestructura para recibir a un público sofisticado. A su playa principal se le conoce como El Desplayado y durante los meses de verano se convierte en un gran centro de atracción.

The 220 kilometres of oceanic coast that stretches eastwards from Punta del Este to the Brazilian border are studded with many beautiful coastal resorts of various sizes. Among them, the resort and port of La Paloma outstands for the beauty of its environment, its urban development and its economic importance. It is placed in the department of Rocha, approximately 230 km from Montevideo.

The erection of its lighthouse -by the southern tip of the coast- gave rise to the urban centre; a small and charming city of white houses with tiled roofs and gardens, which has been spreading along the coast on either sides. In summer, the resort attracts thousands of tourists. Different cultural and leisure activities draw visitors from distant places. Yet, the main attraction are the wide and seemingly endless beaches of white sands.

Its harbour, of ideal natural conditions offers services to all yachts and sailboats arriving at our coasts. Besides the deep-sea fishing with medium sized vessels, there is also an active handcraft fishing on small vessels that bring ashore their daily catch of fresh fish for tourists and locals who buy it there, right at the beach.

Winter and the beginning of spring witness the arrival of the Franca Austral Whale at these shores; a sight worth seeing and in this area their protection is privileged.

A few km away eastwards is La Pedrera, a resort with a profile of its own, built on the top of a high rocky outcrop. This tiny and exclusive coastal resort has the necessary infrastructure to meet the demands of the most sophisticated visitors. Its main beach is known as 'El Desplayado' and during high-season it brims with tourists.

Escenas de La Paloma y La Pedrera
Scenes of La Paloma and La Pedrera

POPI

# CABO POLONIO

Siguiendo el viaje hacia el este por el departamento de Rocha, a unos 45 kilómetros de La Paloma y a 260 de Montevideo se encuentra el balneario de Cabo Polonio, formado en torno a una península rocosa rematada por la imponente estampa del faro que lo caracteriza.
El Cabo -como se le suele llamar- es un lugar aislado, rodeado por altas dunas móviles y al que sólo se puede acceder con vehículos todo terreno cuyo tránsito está limitado con el fin de proteger el medioambiente y su peculiar ecosistema. Existe un núcleo de cabañas -modestas viviendas construidas con materiales del lugar-, donde moran los escasos pobladores permanentes, en general dedicados a la pesca y a la elaboración de artesanías con elementos de la captura local. Collares de vértebras de tiburón, coloridos caparazones de cangrejos o de caracoles marinos, caballitos de mar, huesos de ballena, dientes de lobo de mar son ofrecidos en pequeños y pintorescos kioscos rústicos a lo largo de los caminos que atraviesan este pequeño poblado.
Las casas destinadas al alojamiento de los turistas no pasan de unas cuantas decenas. Tanto la construcción de nuevas viviendas como la instalación de carpas u otros resguardos transitorios durante la temporada turística están rigurosamente prohibidas.

Dado que esta localidad forma parte del Sistema Nacional de Áreas Protegidas (SNAP) bajo la categoría de Parque Nacional se halla sujeta a un protocolo de conservación. Dichas medidas han logrado preservar el carácter original del lugar, sus rasgos esenciales de naturaleza esplendente y de vastos paisajes intocados.

El visitante del Polonio se carga de naturaleza en las magníficas playas solitarias que se extienden en amplias bahías, los islotes cercanos poblados de abigarradas colonias de lobos marinos cuyos distantes aullidos como cantos de sirenas se oyen desde la costa cuando sopla el viento del mar, las altas dunas de arena con la cumbre despeinada por el viento, el mar de un azul profundo y el sol resplandeciente, los ocasos de una sobrecogedora belleza y las noches serenas tachonadas de estrellas infinitas. No hay tránsito vehicular, ni luz eléctrica, ni agua corriente en las casas. Tanto locatarios como visitantes se alumbran con faroles y obtienen el agua de pozos artesanales ya que en el subsuelo superficial corre agua dulce.

Existen, no obstante, servicios y restaurantes de alto nivel para el turismo que lo requiera, pero el estilo del lugar está dominado por lo rústico e informal, la vida en libertad, el deporte y los paseos a pie o a caballo por un entorno agreste y panorámico.

Travelling eastwards across the department of Rocha, about 45 km from La Paloma and 260 km from Montevideo is Cabo Polonio, a small seaside resort that grew around a rocky peninsula towered by the impressive silhouette of its lighthouse. 'El Cabo' -as is usually known- is an isolated place surrounded by high shifting dunes.
Only all-terrain vehicles can get to that spot and traffic is strictly controlled to protect the environment and its particular ecosystem. The scanty permanent settlers live in a group of dwellings -modest housings built with local materials. They are mostly devoted to fishing and to handicrafts that they elaborate with local elements. Necklaces made of shark vertebrae, crab carapaces or colourful shells from marine snails, seahorses, bones of whales or teeth from sea lions are offered at small picturesque stalls along the narrow streets and alleys that crisscross the village. Hardly a few dozen dwellings are destined to travellers. New constructions, as well as the setting up of tents or any other transitory shelter during high season is strictly prohibited.

As a national park included in the National System of Protected Areas Cabo Polonio is subject to conservation protocols, which has ensured the preservation of its original profile and its essential features of rich nature and of vast untouched landscapes.

Nature gets imbibed in all those who visit Polonio, amidst the magnificent solitary beaches that spread in wide bays, the nearby isles crowded with colonies of sea lions whose distant howling like mermaid singings can be heard from the coast when the wind blows from the sea, the high sand dunes with summits ruffled by the wind, the sea of a deep blue and the shining sun, the sunsets of breathtaking beauty and the serene nights studded with countless stars. There are neither vehicles nor power lines, not even current water in the houses. All dwellers -permanent and temporary alike- use lanterns and fresh water is obtained through homemade wells that extract it from the superficial subsoil.

And yet, there are services and high-level restaurants for those tourists that so require, but the informal style prevails; a life of no constraints, sports and walks or horse rides through a rough and panoramic environment.

NATIVA
Coca-Cola

Arroyo Valizas
Valizas creek

# PARAJES DE ROCHA

## LANDSCAPES OF ROCHA

La costa del departamento de Rocha se caracteriza por su despoblamiento y soledad; enormes extensiones de costas vírgenes flanqueadas por grandes dunas a las que sólo se accede por senderos serpenteantes que muchas veces atraviesan forestaciones de pinos típicas de la zona.

A largos intervalos se encuentran algunos pueblitos de pescadores artesanales y pequeños balnearios, generalmente rústicos y sencillos. A partir del balneario La Paloma y con rumbo este se suceden La Aguada, Costa Azul, Arachania, La Pedrera y Cabo Polonio. Entre otras pequeñas poblaciones hacia el Brasil se encuentran Valizas, Aguas Dulces y Punta del Diablo, encantador balneario surgido a partir de un pueblito de pescadores artesanales que aún hoy funciona como tal. Lindero a este último se halla el Parque de Santa Teresa, reserva boscosa de 300 hectáreas de extensión con más de 2 millones de árboles originarios de todas partes del mundo. Este sitio está habilitado para campamentos y cuenta con algunas de las playas más hermosas del país. Próximo a una de las entradas de acceso al parque se encuentra la Fortaleza de Santa Teresa, construida por los portugueses en 1752 y que fue sucesivamente propiedad de los imperios lusitano y español debido a los continuos conflictos entre ambas potencias. Hoy alberga y constituye en sí misma un museo de aquellos tiempos. El Fortín de San Miguel, cerca de la frontera con Brasil, es otro ejemplo notable de una estructura bélica de otras épocas convertida actualmente en elegante hostal.

A unos 250 kilómetros de la capital del país, y en pleno campo en un área de aproximadamente 70 mil hectáreas no lejos del mar, se encuentran los Palmares de Rocha, una zona caracterizada por la concentración de miles de palmeras butiá. La mayoría de los ejemplares de esta especie autóctona tiene entre 200 y 300 años. La palmera produce un fruto, el butiá, de sabor agridulce, que apetece no sólo al hombre sino también a los animales silvestres y domésticos. Esta fruta se consume fresca y también se utiliza en la elaboración de bebidas, dulces y platillos típicos y originales.

En esta área del país existen vastas planicies que abarcan buena parte de varios departamentos. La topografía llana del terreno y la abundancia de cursos de agua, entre los que se destacan las lagunas Negra y Merín albergan los Humedales del Este, ricos ecosistemas naturales protegidos por la legislación nacional e internacional. Sus características permiten la producción de arroz, que en Uruguay constituye un rubro de gran importancia económica.

The coast of the department of Rocha is characterised by its unpopulated vastness and loneliness; wide extensions of virgin coasts flanked by huge dunes whose only access is through sneaking paths that often cross fields forested with pine trees, so typical of this area.

Small scattered fishermen villages -rather isolated rustic hamlets and small coastal resorts- break this desolation. From the resort La Paloma and travelling eastwards are La Aguada, Costa Azul, Arachania, La Pedrera and Cabo Polonio. Among other small populations towards the Brazilian border are Valizas and the well known Aguas Dulces and Punta del Diablo -enchanting seaside resort born as a fishermen village that still operates as such. Bordering Punta del Diablo is the Parque Santa Teresa, a wooded reserve 300 ha wide with more than 2 million trees from everywhere in the world. It hosts a camping site by the sea with some of the most beautiful beaches in the country. Near one of the entrances to the park is the Fortress of Santa Teresa, built by the Portuguese in 1752 and that suffered successively the Spanish and Portuguese domination due to the continuous armed conflicts between both powers. Today it operates as a historical museum. The Fort of San Miguel, near the Brazilian border, is another remarkable example of military structure of old times turned nowadays into an elegant inn.

Approximately 250 km from Montevideo, not far from the sea and in the middle of a vast area about 70 thousand ha wide are the Palmares de Rocha, with a concentration of thousands of specimens of butiá palm trees. Most of the specimens of this autochthonous species are between 200 and 300 years old. The palm produces a fruit, butiá, of sweet and sour flavour liked by humans and animals alike. This fruit is not only eaten fresh; it is also used in the elaboration of drinks, preserves and dishes -traditional or otherwise.

The extensive plains of this vast land cover important areas of several departments. The shallowness of the terrain and the abundance of water courses -the huge Negra and Merín lagoons among others- have enabled the formation of the Humedales del Este (Eastern Swamps), rich natural ecosystems protected by national and international laws. Said characteristics are also extremely favourable for rice growth, a production that in Uruguay constitutes an item of great economic importance.

Punta del Diablo, pueblo de pescadores y balneario
Punta del Diablo, fishermen village and seaside resort

Escenas de Santa Teresa, San Miguel
y Palmares de Rocha

Scenes of Santa Teresa, San Miguel
and Palmares de Rocha

# RIO URUGUAY

**URUGUAY RIVER**

ARG
4249
ARG
4731
4504

Se denomina Litoral a la franja oeste del territorio que tiene costas sobre el río Uruguay, el gran curso de agua que separa al país de Argentina. A lo largo de unos 500 kilómetros, desde la desembocadura del río Cuareim fronterizo con Brasil en el extremo norte del país hasta el Río de la Plata al sur, el río Uruguay va orillando los suelos de aptitud agrícola más fértiles del país. Es un río ancho, generalmente manso y navegable por los canales aunque con escaso calado debido a los bancos de arena. En su tramo superior es frenado por la gran represa hidroeléctrica -Salto Grande-, construida sobre un salto de agua que dio el nombre al lugar. En su trayecto rodea numerosas islas boscosas y paisajes variados. Además de la represa, Uruguay y Argentina están unidos por otros dos grandes puentes que cruzan el río a la altura de las ciudades de Paysandú y Fray Bentos.

Varias ciudades y puertos se alinean en sus orillas o en las desembocaduras de sus afluentes. Desde Bella Unión, navegando río abajo, se pasa por la ciudad de Salto, luego por Paysandú, ambas capitales de los respectivos departamentos homónimos; más abajo se halla Fray Bentos, capital del departamento de Río Negro y ya muy cerca de la desembocadura en el Río de la Plata se encuentra el importante puerto fluvial de Nueva Palmira. Este puerto, en plena transformación y crecimiento concentra enormes volúmenes de granos, celulosa, madera en rolos o en chips, cítricos de la zona y también mineral de hierro y soja de Bolivia y Paraguay.

El más importante de los afluentes del río Uruguay es el río Negro que nace en Brasil y atraviesa todo el territorio nacional a lo ancho de este a oeste. A lo largo de su travesía por el centro del territorio sus aguas alimentan los lagos de tres represas hidroeléctricas. Sobre este río, pocos kilómetros antes de su desembocadura en el río Uruguay se encuentra la ciudad de Mercedes, capital del departamento de Soriano y muy cerca ya de su encuentro con el río Uruguay se halla Villa Soriano, el centro poblado más antiguo del país.

Los centros termales de Salto, sobre los ríos Daymán y Arapey -importantes afluentes del río Uruguay-, y los ubicados en el departamento de Paysandú -sobre el arroyo Guaviyú y el de aguas salobres de Almirón-, con sus piscinas cubiertas y al aire libre y su desarrollada infraestructura con instalaciones y servicios para todo tipo de público, convocan a gran número de visitantes a lo largo de todo el año.
Los pozos que extraen el agua caliente, de entre 600 y más de 1.000 metros de profundidad fueron inicialmente realizados para la extracción de petróleo aunque sin éxito. La valiosa compensación fue la obtención de aguas termales de excelente calidad, con virtudes probadas para la salud, excelente para el consumo humano y con usos productivos como agua de riego para cultivos especiales aunque -y sobre todo- se destaca por su potencial turístico y recreativo en la temporada baja del turismo de sol y playa.

Thus is named the western strip of land by the Río Uruguay, the great watercourse that separates the country from Argentina. Along a five-hundred km course -from up north in the Brazilian border where its tributary the Río Cuareim joins it, downstream southwards to its confluence with the Río de la Plata- the Río Uruguay flows past the best and most fertile soils for agriculture in the country.
It is a broad river, usually calm and navigable through the channels though rather shallow due to its sand banks. Its upper course is crossed by a big hydroelectric dam -Salto Grande(*)-, built on a waterfall that gives name to the place. Along its course, it flows past several wooded isles and a varied landscape. Besides the dam itself, two other bridges join the Uruguayan cities of Paysandú and Fray Bentos with Argentina over the river.

Several cities and ports line by its shores or at the mouths of its tributaries. Downstream from Bella Unión the river flows past the cities of Salto and Paysandú, both capitals of their respective namesake departments; further down is the city of Fray Bentos, the capital of Río Negro and very close already to the Río de la Plata is the important fluvial port of Nueva Palmira. This port is currently undergoing substantial changes and expansions and handles large volumes of grains, cellulose pulp, lumber rolls and chips, local citrus fruits and also iron and soybean from Bolivia and Paraguay.

The main tributary of the Río Uruguay is the Río Negro, which is born in Brazil and crosses the whole Uruguayan territory slant-way from E to W. Along its course through the centre of the country its waters feed the lakes of three hydroelectric dams. Few kilometres before its end at the Río Uruguay, the Río Negro flows past Mercedes, the capital of the department of Soriano, and much closer to the Río Uruguay is Villa Soriano, the most ancient populated centre of the country.

Large numbers of tourists are drawn all year round by the thermal springs of Salto -by the rivers Daymán and Arapey, tributaries of the Río Uruguay-, those located in the department of Paysandú -on the margins of the Arroyo Guaviyú- and also the salty springs of Almirón. They offer covered and outdoor pools and well developed infrastructures with facilities and services for all kind of visitors. The wells that extract the hot water -between 600 and over 1,000 mt deep- were initially meant for the search of oil but to no avail. Yet, the reward was the finding of top quality thermal waters with proven virtues for the health, excellent for human consumption and for watering special crops although they outstand mostly for their tourist and recreational use during off-season.

(*) Salto Grande: big waterfall.

La riqueza de los suelos y la comunicación con el mundo exterior que permite el río Uruguay ambientaron tempranamente la instalación de poblaciones en sus orillas o en las cercanías. Muchas veces fueron colonias de inmigrantes, que aportaron sus culturas propias, aún presentes en varias manifestaciones de la vida diaria, la infraestructura urbana y los sistemas de producción.

Por ejemplo, en Salto se instaló una importante colonia italiana que aún hoy, junto a portugueses y sus descendientes, son los responsables de la relevante producción hortícola del departamento, y su influencia se expresa notoriamente en la arquitectura, en varios edificios referenciales y en paseos de la ciudad. En Río Negro, durante la primera mitad del siglo XX, se instalaron dos colonias alemanas y una rusa, cohesionadas originalmente por líderes religiosos perseguidos en sus países y recibidos con amplios beneficios por las políticas inmigratorias uruguayas. Estas colonias aún en nuestros días se dedican a la explotación de la tierra.

Sin ser integrantes de una colonia, también los inmigrantes ingleses han dejado una huella perdurable en el desarrollo de estas localidades, donde sus descendientes frecuentemente ocupan lugares destacados.

La vida junto al río Uruguay y sus afluentes convoca todo tipo de actividades deportivas y de esparcimiento: canotaje y remo olímpico, navegación, campamentos en sus riberas, pesca de costa o embarcada en procura de diferentes especies de buena calidad gastronómica y cuya captura proporciona amplio entretenimiento, pero principalmente constituye el sustento de numerosos grupos de pescadores artesanales afincados en distintas zonas de la costa.

Lanchas y veleros de distinto porte, algunos lujosos y en su mayor parte provenientes de Argentina, suelen recalar en los puertos del litoral uruguayo y participar de las regatas y jornadas festivas que periódicamente se organizan. En general, la costa uruguaya es más alta y despejada que la argentina, siendo ésta más cenagosa y baja, con bancos de arena peligrosos para la navegación.

Las Cañas es uno de los balnearios más famosos del río Uruguay. Se halla ubicado en un bonito lugar a pocos kilómetros al sur de Fray Bentos con anchas playas de arena sombreadas por sauces criollos, en cuyo entorno se ha creado una infraestructura turística importante y un centro poblado de elegantes construcciones. La cercanía con las ciudades argentinas garantiza que las pintorescas costas uruguayas sean un destino turístico complementario del comercio y la producción agropecuaria.

The rich soils by its margins and the way of communication with the outside world that is the Río Uruguay have encouraged since early in history the settling of coastal populations; immigrant colonies most often that brought along their own culture, present still today in many aspects of daily life, the urban infrastructure and the production systems.

For instance, in Salto an important Italian colony settled down that still today, together with Portuguese settlers and their descendants are in charge of the substantial horticultural production of the department. This foreign influence is strongly evidenced in the architecture of several iconic buildings and the design of urban walks. In Río Negro, during the first half of the twentieth century, three colonies established there -two from Germany and one from Russia- whose members had originally gathered around their religious leaders exiled from their own countries and later granted benefits by the Uruguayan Migratory laws. Still today, these colonies are devoted to agricultural labour.

Without belonging to any particular colony, also English immigrants have left a lasting imprint in the development of this area, where their descendants frequently hold important positions still today.

The riverside is also appealing for different leisure activities and sports such as canoeing and Olympic oar, sailing, camping, fishing -on the coast or aboard- in search of a good catch. Highly entertaining but mainly the way of living for large populations of traditional fishermen settled down in different zones of the coast.

Motorboats and sailboats of different sizes -most of them from Argentina- usually arrive at the ports of the Uruguayan littoral and take part in the regattas and festivities that take place there periodically. In general, the Uruguayan coast is higher and clearer than the Argentinian one, muddier and lower with sand banks that constitute a navigation hazard.

Las Cañas is one of the most famous resorts by the Río Uruguay. Located at a lovely spot a few km to the S of Fray Bentos, it has wide sand beaches shaded by Creole willows and has given rise to an important tourist infrastructure and a populated centre of elegant buildings. Besides trade and farm production, the closeness with Argentinian cities has made of the picturesque Uruguayan coasts an undeniable tourist destination.

# COLONIA DEL SACRAMENTO

En la costa uruguaya del Río de la Plata, frente a Buenos Aires -la gran urbe regional y capital de la Argentina cuyo resplandor ilumina las noches y cuyos edificios más altos pueden divisarse a simple vista- se encuentra la ciudad de Colonia del Sacramento. Es el más antiguo centro poblado del Uruguay que persiste en su sitio original. Fundada en 1680 por los portugueses, que incursionaron fuera de los límites de su imperio, Colonia tuvo una larga historia de conflictos bélicos y diplomáticos que hicieron que mudara varias veces de dominadores entre los imperios de España y Portugal. Actualmente es una bonita ciudad costera, con un centro antiguo rigurosamente conservado y restaurado, por lo que fue declarada Patrimonio Histórico de la Humanidad por parte de UNESCO en 1995.

Las calles adoquinadas, con los desagües pluviales al centro, las casas de piedra y ladrillo abrazadas por las buganvillas, los techos de teja muslera a cuatro aguas, las rejas barrocas, los faroles coloniales, los muros, puentes, parques y edificios públicos, los árboles añosos por doquier y las numerosas construcciones conservadas como museos convierten al paseo a través de la ciudad vieja en una aventura por el siglo XVIII. El alto faro que domina la ciudad, la rambla panorámica con sus muretes balaustrados, sus faroles y miradores, la bahía, el puerto y aledaños, las islas cercanas de intensos verdes que contrastan con las aguas generalmente oscuras del Río de la Plata, brindan un agradable y sereno entorno paisajístico. Por éstas y muchas razones, Colonia es un centro turístico de primer orden que ofrece a lugareños y visitantes una intensa vida social, cultural y de esparcimiento, con una amplia oferta gastronómica, de pubs y hotelería para todos los públicos.

El departamento de Colonia tiene perfiles europeos, bastante diferenciados del resto del país. La división de la tierra en pequeños establecimientos, la producción granjera desarrollada, la elaboración artesanal de quesos, dulces y chacinados revelan la tradición de las colonias de inmigrantes que se afincaron tempranamente allí, algunas en el siglo XIX. Suizos, piamonteses, italianos, alemanes confluyeron en estas localidades aportando su impronta cultural, sus hábitos y sus técnicas productivas, y aún hoy siguen ocupando posiciones de liderazgo en cuanto a productividad agropecuaria.

On the Uruguayan side of the Río de la Plata opposite Buenos Aires -capital city of Argentina and the most important city in the region, whose lights illuminate the nights and whose tallest buildings can be seen across the river- is Colonia del Sacramento. It is the oldest town in Uruguay still in its original location. Founded in 1680 by Portuguese conquerors venturing beyond the borders of their empire, Colonia has had a long history of diplomatic and armed conflicts that made it suffer the alternate domination of Portugal and Spain. Nowadays, it is a nice coastal city, with a historic area rigorously restored and preserved, that was declared by UNESCO as World Heritage in 1995.

The cobbled streets with a drainage channel running down the middle, the stone and brick houses surrounded by bougainvilleas, the hipped roofs covered with 'muslera'(*) tiles, the baroque iron bars, the colonial lanterns, the fortification walls, its bridges, parks and public buildings, the ancient trees and the numerous constructions -open as museums nowadays-, turn any walk across the old city into an adventure through the eighteenth century. The tall lighthouse towering the city, the panoramic rambla with its balustrades, the lanterns everywhere, the lookouts, the bay, the port and its surroundings, the nearby islands of a contrasting intense green against the usually dark waters of the Río de la Plata, offer an agreeable and serene landscape. These factors make of Colonia a top tourist centre with an intense leisure, social and cultural life, a varied gastronomy and accommodation options for all tastes.

The department of Colonia has a European profile clearly differentiated from the rest of the country. The division of the land in small establishments, the specific farming production of this area, the handcraft production of cheese, fruit spreads, preserves (jams and jellies) and pressed meats reveal the tradition of the colonies of immigrants that settled down here, some of them during the nineteenth century. Swiss, Italians from the Piamonte and other Italian regions and Germans settled down there and brought with them their own cultural purport, their habits and their production skills. Still today they are in the lead of farm production.

(*) Muslera: from 'muslo' (thigh). Tiles moulded on the worker's thigh to achieve their concave shape.

## Escenas de Colonia del Sacramento
Scenes of Colonia del Sacramento

La Carlota
ALMACEN
CALLE
D-LOS
SUSPIROS

Un viajero me dijo una vez
"Quien pise tierra uruguaya no podrá olvidarla
y mucho menos dejar de quererla".

A traveller once said to me,
'Who sets foot on Uruguayan land will never forget it,
let alone ever cease loving it'.

# LA ANTARTIDA URUGUAYA

THE URUGUAYAN ANTARCTICA

Uruguay suscribió el Tratado Antártico en 1980. Desde entonces integra el grupo de países con presencia en el continente helado donde cuenta con una base científica militar permanente. Dicho tratado suspende todos los reclamos de soberanía del continente y establece que el mismo sea utilizado únicamente con fines pacíficos y científicos: la Antártida "no le pertenece a nadie y le pertenece a todos". Con temperaturas de 40ºC bajo cero y vientos de hasta 150 kilómetros por hora, las condiciones de vida en invierno son extremadamente duras lo que desafía continuamente a los equipos humanos, mecánicos y a las instalaciones físicas.

In 1980, Uruguay signed the Antarctic Treaty. Since then our country has been part of the group of nations present in the frozen continent through an all-year round military and research base. Said treaty does not recognise sovereignty claims and establishes that the continent is to be used for scientific research and other peaceful purposes only: Antarctica "does not belong to anyone and yet it belongs to everyone". With temperatures of -40ºC and wind-speeds of around 150 kilometres, the living conditions in winter are extremely harsh and challenge human teams and equipments alike, as well as the facilities there installed.

aguaclara editorial®

DIRECCIÓN Y PRODUCCIÓN:
Diego Velazco / Lic. Carlos Penadés

FOTÓGRAFOS:
Diego Velazco
Santiago Epstein
Carlos Penadés
Matilde Campodónico
Nacho Guani
Diego García
Alejandro Olmos
Mario Barriola
Matías Ganduglia
Federico Gutiérrez
Pata Torres
Martín de Rosa
Gerardo Fiorelli
Eduardo Longoni
Rafael Lejtreger
Andrés Cuenca
Santiago Barreiro
Gabriela Rufener

DISEÑO GRÁFICO:
LAND: Santiago Velazco / Gabriel Pica

POST-PRODUCCIÓN:
Tagomago - José Nozar

TEXTOS:
Jorge Chouy

INVITADOS:
Silvana Bonsignore ("De la naturaleza a su mesa", Pág. 31)
Emma Sanguinetti ("Arte", Pág. 41)
Ricardo Piñeyrua ("Fútbol", Pág. 60)
Enrique Estrázulas ("Rambla, respiración y lejanía", Pág. 62)

CORRECCIÓN y TRADUCCIÓN:
Nina A. Liberman

**CRÉDITOS FOTOGRÁFICOS:**

**DIEGO VELAZCO:** FOTOS DE TAPA / MONTEVIDEO: Plaza Libertad Pág. 16 / Fuente Plaza Matriz Pág. 18 / Palacio Salvo Págs. 20 y 21/ Plaza Independencia Págs. 22 y 23 / Imágenes Ciudad Vieja Págs. 24 y 25 / Mercado del Puerto Págs. 26 y 27 / Asado Págs. 28 y 29 / Peatonal Bacacay Pág. 33 / Ciudad Vieja de noche Págs. 34 y 35 / Teatro Solís Págs. 36 y 37 / Reproducciones obras de arte Pág. 40 / Desfile de Llamadas Pág. 48 / Desfile de Llamadas Págs. 50 y 51 / Desfile de Llamadas y murga Págs. 52 y 53 / Mates Págs. 54, 56 y 57 / Chivito Pág. 58 / Muzarella Pág. 59 / Rambla Pocitos Págs. 64 y 65 / Rambla Montevideana, escolares, skater, sombrillas voladoras, Puerto Buceo, Ramírez, corriendo Págs. 66 y 67 / Torre Telecomunicaciones Pág. 72 / WTC Pág. 73 / Barco puerto Pág. 74 / CAMPO: Panorama campo Págs. 78 y 79 / Portera y cerro Pág. 81 / Cosechadora Pág. 89 / Silos, soja, sorgo, cebada maíz Pág. 91 / Vid, Bodega BOUZA Pág. 92 / Nuevos cultivos Pág. 95 / Forestación Págs. 96 y 97 / Gaucho Pág. 101 / Gauchos Págs. 102 y 103 / Partida de cartas, arreo, parrilla y perro junto a un caballo Págs. 104 y 105 / Turismo rural Pág. 108 / URUGUAY ADENTRO: Pan de Azúcar Págs. 112 y 113/ Casa de campo Pág. 114 / Iglesia de Dolores, Unión Cristiana de Jóvenes y señora Pág. 116 / Caminos del Uruguay Págs. 118 y 119 / LAS SIERRAS: varias Pág. 121 / SNAP: Ombú Pág. 122 / Quebrada de los Cuervos Págs. 124 y 125 / Ciervo, gato montés, lobo marino, dunas, cascarudo Págs. 126 y 127 / COSTA: Atlántida pág. 130 / Piriápolis panorámica Págs. 132 y 133 / Playa Mansa Págs. 116 y 117/ Yates, sombrillas de playa, mirador, bañistas, auto, chicas paseando, kitesurf, auto descapotable y gente en la playa, pareja en los dedos Págs. 138 y 139 / Fuegos artificiales, tiendas y restaurante Págs. 140 y 141 / La Barra y José Ignacio Pág. 142 / Carteles Pág. 146 / Comida, lanchas y auto clásico Pág. 147 / Ganado en la playa Págs. 148 y 149 / Chica en el mar y Barrio antiguo, La Paloma, La Pedrera Págs. 152 y 153 / Cabalgata en Cabo Polonio Pág. 154 / Parador, amigos en la playa, niños y nena con artesanías Pág. 156 / Mujer leyendo Pág. 157 / Parajes de Rocha Pág. 158 / Fortaleza Santa Teresa Pág. 162 / RÍO URUGUAY: Escenas litoral Pág. 168 / Rambla de Colonia Pág. 170 / Escenas de Colonia Págs. 172 y 173 / Rambla de Colonia Pág. 174. **DIEGO VELAZCO / SANTIAGO EPSTEIN:** MONTEVIDEO: Vista crepuscular Págs. 14 y 15 / Silueta Montevideo Págs. 68y 69/ Palacio Legislativo Pág. 71/ Fábrica TALAR Pág. 86 / Gauchos y jineteada Págs. 106 y 107 / ADENTRO: caminos Págs. 118 y 119 / Hombre con boina, cortina de lona, ómnibus y ñandú Págs. 116 y 117 / COSTA: Península aérea Pág. 134 / José Ignacio aéreo Págs. 144 y 145 / RÍO URUGUAY: Piscina termal Pág. 167 / **SANTIAGO EPSTEIN:** MONTEVIDEO: Olas rompiendo en la rambla Págs. 62 y 63 / Sillas rambla y playa barrio Sur Págs. 66 y 67 / Hereford Pág. 83 / ADENTRO: Camino Pág. 97 / **CARLOS PENADÉS:** MONTEVIDEO: Mates Págs. 48 y 49 / Cartel Montevideo rambla, corriendo contraluz Págs. 66 y 67 / URUGUAY ADENTRO: Camino arboles Pág. 118 / COSTA: Faro la Paloma Pág. 151 / La Pedrera Pág. 152 / Punta del Diablo Págs. 160 y 161 / Santa Teresa, Fuerte San Miguel, playa Cerro Chato, Págs. 162 y 163 / Farol en Colonia Pág. 172 / **MATILDE CAMPODÓNICO:** MONTEVIDEO: Auditorio Nacional Adela Reta Pág. 38 / Calentando lonjas Pág. 52 / Mates Págs. 56 y 57 / CAMPO: Trigo Pág. 91/ Plan Ceibal Pág. 111 / **NACHO GUANI:** CAMPO: Gaucho arriando Pág. 82 / Arroz, naranjas, cosecha naranjas Págs. 90 y 91 / Molinos de viento Págs. 98 y 99 / COSTA: Yate Págs. 136 y 137 / Crucero Pág. 138 / Santa Teresa aérea Pág. 163 / RÍO URUGUAY: Veleros en el río Uruguay Págs. 164 y 165 / **DIEGO GARCÍA:** SNAP: Carancho Pág. 127 / COSTA: Banderines, esqueleto de ballena Págs. 152 y 153 / Duna Pág. 156 / Cerro Verde Pág. 162 / **ALEJANDRO OLMOS:** ADENTRO: Arreo de ovejas Pág. 119 / SNAP: Lechuza, pato, flores, rana, tero Págs. 126 y 127 / **MARIO BARRIOLA:** COSTA: Palmares Pág. 163 / **MATÍAS GANDUGLIA:** SNAP: carpincho Pág. 127 / Dos chicas y chica de espaldas en la playa Pág. 147 / Aves sobrevolando la laguna Pág. 153 / **FEDERICO GUTIÉRREZ:** MONTEVIDEO: Asado Pág. 30 / **PATA TORRES:** MONTEVIDEO: Ballet Pág. 39/ **MARTÍN DE ROSA:** COSTA: Surf Pág. 152 / **GERARDO FIORELLI:** CAMPO: Ovejas Pág. 84 / **AFP / GETTY IMAGES:** Gardel Págs. 42 y 43 / Diego Lugano Pág. 61 / **FUNDACIÓN ALFREDO ZITARROSA:** Alfredo Zitarrosa Págs. 44 y 45 / **EDUARDO LONGONI:** MONTEVIDEO: Mario Benedetti Págs. 46 y 47 / **RAFAEL LEJTREGER – JOSÉ NOZAR:** Aeropuerto Págs. 76 y 77 / **ANDRÉS CUENCA:** MONTEVIDEO: Puerto Montevideo Pág. 75 / **SANTIAGO BARREIRO:** LA COSTA: Surfistas Págs. 128 y 129 / **GABRIELA RUFENER:** ANTÁRTIDA Págs. 176 y 177 / **Arq. Carlos Ott en asociación con Carlos Ponce de León Arquitectos:** Renderizado Edificio Celebra en Zonamérica Pág. 73.

**OBRAS DE ARTE:** Pág. 40: Pedro Figari / Candombe / C.1925 - Óleo sobre cartón, 62 x 82cm. Joaquín Torres García / Pintura Constructiva / 1929 - Óleo sobre tela, 60 cm x 73 cm. Rafael Barradas / Molinero Aragonés / 1924 - Óleo sobre tela, 117 cm x 73 cm. Juan Manuel Blanes / Un episodio de la fiebre amarilla en Buenos Aires / C. 1871 - Óleo sobre tela, 2.30cm x 1.80 cm. Silvera – Abbondanza / Desterrado. Octavio Podestá / Euritmia. Pablo Atchugarry / Semilla de esperanza. Nelson Ramos / Forma.

**AGRADECEMOS ESPECIALMENTE A:**

Enrique Estrázulas, Ricardo Piñeyrúa, Arq. Carlos Ott, Arq. Carlos Ponce de León, Octavio Podestá, Emma Sanguinetti, Pablo Atchugarry, Nelson Ramos, Silveira-Abbondanza, AGROLAND, Nicolás Kovalenko, Daniel Smulovitz, Lic. Jacqueline Lacasa, BODEGA BOUZA (Pág.92), Juan Manuel López, COMPLEJO AGROINDUSTRIAL TALAR (Pág. 86) ZONAMÉRICA (Pág. 73), URUGUAY XXI, MINISTERIO DE TURISMO Y DEPORTE, Santiago Epstein, Carolina Villarrubia, Daniel Gadea, Silvia de Moraes, Rosario Castellanos, MNAV, Ing. Víctor H. Umpiérrez, Familia Zitarrosa, FUNDACIÓN ZITARROSA, Ariel Silva, FUNDACIÓN MARIO BENEDETTI, SNAP Sistema Nacional de Áreas Protegidas, AEROPUERTO DE CARRASCO, ANP, Gonzalo Acosta López, PARRILLADA EL PALENQUE, BAR TINKAL (Pág. 58), BAR TASENDE (Pág. 59), SAN PEDRO DEL TIMOTE, RADISSON VICTORIA PLAZA, INSTITUTO ANTÁRTICO URUGUAYO, Cnel. Waldemar Fontes, BAAR FUN FUN, AGARRATE CATALINA, María Benzano, Candela Velazco, Juan Diego Velazco, Agustín Benzano, Juan Castelli, Andrés Castelli, Alina Allo, Virginia Arlington, INAC Instituto Nacional de Carnes, Dr. Alfredo Fratti, Silvana Bonsignore, Beatriz Luna, FRIGORÍFICO TACUAREMBÓ, César Miranda, Dra. María Balsa, Juan Carlos Rodríguez, Gime Benítez, Federica Penadés, Luciano Penadés, Betty de Rossa, Andrea Moreira, Fernando Carlevari, Javier Antía, Gustavo Fuentes y equipo, María José de la Fuente, Dr. Matías de Freitas, a todos los que aparecen en las fotos de mates, al Negro Gallo y los gauchos de la yerra.

Libro declarado de interés cultural
Ministerio de Educación y Cultura del Uruguay. Exp. 2008–11–0001-5927
Libro declarado de interés turístico
Ministerio de Turismo y Deporte del Uruguay. Exp. 200803136-9

Las imágenes de este libro se encuentran en www.aguaclara.com.uy


Durazno 1825 / CP: 11.200 / Montevideo – Uruguay
T/F: + (598 2) 4181689 / info@aguaclara.com.uy

IMPRESO EN URUGUAY POR PRESSUR CORPORATION S.A.
DEPÓSITO LEGAL Nº 15547
ISBN: 978-9974-96-591-1